POLYEUCTE MARTYR

CORNEILLE

Polyeucte martyr

Tragédie chrétienne

1643

INTRODUCTION, DOSSIER ET NOTES
DE CLAUDE BOURQUI ET SIMONE DE REYFF

LE LIVRE DE POCHE

Les travaux préparatoires à cette édition ont été réalisés dans le cadre d'un projet subventionné par le Fonds national suisse de la recherche scientifique. Nous remercions le P. Denis Chardonnens, o. c. d., pour les précieux éclaircissements proposés sur divers points de théologie.

Claude Bourqui enseigne la littérature française à l'Université de Neuchâtel. Il est l'auteur de plusieurs ouvrages sur le théâtre français du XVIIᵉ siècle, dont *Les Sources de Molière* (SEDES, 1999) et *La Commedia dell'arte. Introduction au théâtre professionnel italien entre XVIᵉ et XVIIᵉ siècle* (SEDES, 1999). Pour Le Livre de Poche, il a édité et commenté *Les Précieuses ridicules*, *Les Femmes savantes* et *Le Misanthrope* de Molière.

Simone de Reyff enseigne la littérature française à l'Université de Fribourg. Ses travaux portent notamment sur la poésie religieuse au XVIIᵉ siècle (*Sainte Amante de Dieu*, anthologie de la poésie épique consacrée à la Madeleine, Fribourg, Ed. universitaires, 1989), le théâtre de la fin du Moyen Age (diverses éditions, dont le *Mystère de l'Institucion des Freres Prescheurs*, Genève, Droz, 1998) et l'œuvre de Marguerite de Navarre. Elle est également l'auteur d'un ouvrage de synthèse sur les rapports de l'Eglise et du théâtre au XVIIᵉ siècle (*L'Eglise et le théâtre*, Paris, Cerf, 1999).

INTRODUCTION

Polyeucte...

C'est l'histoire d'un adepte d'une religion, pleinement convaincu de la justesse de ses convictions, qui abandonne ses proches pour tenter une action suicidaire contre les valeurs symboliques de la religion adverse. Arrêté, soumis à un interrogatoire, il ne faiblit pas dans sa détermination et accepte, sans renier son acte, la mort qui lui est promise...

Polyeucte, à l'aune des valeurs modernes, est une pièce choquante. On se prend à frémir à la résonance de vers tels que ceux-ci, prononcés dans l'exaltation de l'enthousiasme religieux :

> Allons, mon cher Néarque, allons aux yeux des hommes
> Braver l'idolâtrie, et montrer qui nous sommes ;
> C'est l'attente du ciel, il nous la faut remplir,
> Je viens de le promettre, et je vais l'accomplir
> (v. 645-648).

Le lecteur du XXIe siècle ne manquera pas de faire le parallèle avec des événements d'une actualité constamment renouvelée. Et il n'est pas loin sans doute le temps où un metteur en scène « inspiré » donnera à Polyeucte les traits d'un terroriste religieux, « fou de Dieu » ou adepte éperdu d'une secte apocalyptique[1]. Y aura-t-il lieu pour autant de crier au scandale, de dénoncer la trahison du projet cornélien ? Après tout, si, comme on

---

1. Jules Lemaitre, critique et dramaturge de la fin du XIXe siècle, établissait déjà un parallèle entre Polyeucte et les terroristes nihilistes russes des années 1880 (*Impressions de théâtre*, 21 juin 1886, p. 29).

l'a tellement prétendu, les œuvres littéraires vivent de leur vie propre, si leur signification les détache de l'intention de leur auteur, pourquoi *Polyeucte* ne pourrait-il pas être envisagé comme une tragédie condamnant le fanatisme religieux — à l'exemple du *Mahomet* (1741) de Voltaire, composé à ce dessein, et dont la paix des religions compromet la représentation actuelle ? Le metteur en scène en question aura beau jeu d'alléguer qu'une œuvre classique est susceptible de lectures plurielles et que c'est précisément cela qui fait sa constante « actualité ». Sinon, autant laisser la pièce enfouie au plus profond des bibliothèques, autant renoncer à la faire vivre de la confrontation à notre modernité. Et admettre que la littérature n'a aucun rapport au monde [1]...

Comment lire, comment mettre en scène et comment enseigner *Polyeucte* de nos jours ? Le malaise est d'autant plus grand que la tragédie de *Polyeucte martyr* (c'est le titre précis que lui a donné son auteur) se recommande par un long passé de « best-seller » de la littérature chrétienne. Des générations de lycéens se sont penchées sur un texte naguère incontournable des programmes scolaires, lieu d'accommodement entre une France « fille aînée de l'Eglise » et son éducation nationale laïque. A la même époque pourtant, les ténors de la vie intellectuelle se déchiraient sur la question : « Polyeucte est-il chrétien ? » Péguy célébrait dans le héros de Corneille ce point d'articulation du temporel et du spirituel, qui résume à ses yeux l'essence du christianisme [2]. Claudel exécrait une pièce dans laquelle il ne voyait que les « rodomontades imbéciles » d'un « fier-à-bras grotesque » [3]. Gide, de son côté : « Polyeucte fait tout ce qu'il faut pour se rendre odieux et l'on ne le saurait approuver qu'au nom d'une religion dont il ne fait valoir ici que le

---

1. Notons simplement que la *World Christian Encyclopedia* (Oxford University Press, 2001) compte, pour les seules religions chrétiennes, 26 685 000 martyrs dans le monde au cours du XXe siècle, soit deux fois plus que durant la totalité des dix-neuf siècles précédents. 2. Voir *Victor-Marie, comte Hugo*, in *Œuvres en prose*, Paris, Gallimard, Bibliothèque de la Pléiade, 1961, p. 719-723. Voir également p. 795 *sq.* 3. Dans une lettre à Robert Brasillach (cité par S. Doubrovsky, *Corneille et la dialectique du héros*, Paris, Gallimard, 1963, p. 229).

côté gênant. Il se comporte en révolutionnaire bien plutôt qu'en chrétien et l'on peut être excellent chrétien
sans approuver du tout son geste [1]. »

Le « révolutionnaire » de Gide est devenu trop présent
parmi nous pour qu'on puisse passer sous silence cette
lecture, pour qu'on parvienne à ensevelir sous l'information érudite les parallèles inévitables. Si l'on considère
que *Polyeucte* est un classique, si l'on soutient que la tragédie chrétienne de Corneille a droit de cité parmi nous,
on doit répondre, on doit faire front. Quel sens donner
à l'acte du chrétien Polyeucte qui profane une cérémonie du culte romain ? Que faire d'un destructeur de statues ? D'un fanatique (le mot est de Voltaire) agressif,
irrespectueux de la religion adverse, fût-elle celle de ses
persécuteurs ? D'un adepte d'une religion (une secte, à
prendre le point de vue de l'autorité romaine) qui se
précipite au-devant de la mort, mû par l'idée que cette
vie ne vaut pas la peine d'être vécue, et par la perspective
de rejoindre un au-delà de délices ineffables ?

De fait, l'histoire de Polyeucte, telle que la fait défiler
devant nos yeux la tragédie de Corneille, est à même de
déconcerter le lecteur ou le spectateur modernes. Dans
une Arménie soumise à la Rome impériale, Polyeucte,
jeune seigneur parmi les plus considérés de la noblesse
locale, époux de la fille du gouverneur romain, occupe
une position enviée. Couvert de gloire, aimé et amoureux de Pauline son épouse, il se fait toutefois baptiser
en secret à l'instigation de son ami chrétien Néarque.
C'est un homme en apparence inchangé qui revient de
la cérémonie sacramentelle. Pourtant, à la surprise générale, le nouveau chrétien, prié d'assister à un sacrifice
qui célèbre le retour triomphal d'un général romain, perturbe le déroulement du rituel en affirmant publiquement sa foi, et entreprend de détruire les autels et les
statues du culte païen. Il est vrai que le général triomphant était un ancien soupirant aimé de Pauline... Mais
Polyeucte est désormais détaché de ces considérations
humaines. Ni les prières de son épouse, ni les supplications et menaces de son beau-père le gouverneur ne le

---

1. *Journal* (12 août 1941), Paris, Gallimard, Bibliothèque de la Pléiade,
1997, t. II, p. 778.

feront renier son acte. Condamné à mort pour son geste sacrilège, il sera exécuté : un nouveau martyr chrétien est né.

Pris dans leur dimension brute, les actes de Polyeucte sont inexplicables, autant qu'inacceptables. Nous ne saurions prétendre y reconnaître nos valeurs, illusion dans laquelle nous entretiennent d'autres œuvres classiques, aux contours d'apparence plus familière, et qui semblent nous tendre la main par-delà les siècles. La tragédie de *Polyeucte martyr*, comme toute réalité étrange — et étrangère (c'est un des sens du terme « étrange » au XVIIᵉ siècle) —, requiert donc un patient travail d'approche. C'est à ce prix — au prix de l'analyse — qu'on sera à même de comprendre, c'est-à-dire de démystifier. C'est à ce prix que la lecture sera possible et profitable.

Un héros chrétien

Quand Corneille fait porter à la scène *Polyeucte martyr*, vraisemblablement dans le courant de l'hiver 1642-1643 [1], il saisit au vol un mouvement déjà amorcé. Depuis la fin de la décennie précédente, des tentatives ont été réalisées pour donner, en français, à l'intention du public parisien, des tragédies qui tirent leur sujet du martyre d'un saint [2]. Même encore tâtonnantes, produites en circuit fermé, ces initiatives attestent, de la part des milieux proches du pouvoir royal, un intérêt pour l'instauration d'une « comédie de dévotion » — en d'autres termes d'un théâtre à sujet religieux, comme en connaissent l'Italie et l'Espagne à la même époque. La création de *Polyeucte* s'inscrit donc dans le prolongement de ces expériences. En même temps, elle s'affirme comme un événement d'un autre ordre, franchissement d'un nouveau palier : le sujet religieux, pour la première fois dans l'histoire du théâtre français moderne, fait irruption sur la scène professionnelle et publique. Une « tragédie chrétienne » est jouée par les mêmes comé-

---

1. La date précise de la création de la pièce est inconnue. Voir Dossier, « Commentaires », p. 161.   2. Pour plus de précisions, voir Dossier, « Documents », p. 185-188.

diens et devant les mêmes spectateurs que ceux qui, quelques années plus tôt, ont été réunis pour la création du *Cid* et d'*Horace*. L'entreprise en elle-même n'est pas indifférente : même si les années 1635-1650 marquent une atténuation des anciennes tensions, le théâtre continue d'éveiller la suspicion de l'Eglise[1]. Faire jouer sur une scène profane le martyre d'un saint peut être perçu comme une forme d'ingérence provocatrice dans un domaine réservé. Incursion impudente, qui ne laisse personne dupe sur ses véritables intentions : après tout, la meilleure manière de défendre la légitimité de l'activité théâtrale professionnelle à la face de l'autorité ecclésiale est de démontrer que les planches sont capables d'accueillir même les sujets les plus sacrés.

Tragédie chrétienne donc — et par conséquent sujet sacré —, mais le choix du martyre ? A quelle fin ce spectacle de souffrance et de mort, alors que d'innombrables miracles de saints, quantité de hauts faits bibliques, s'offrent à la plume du dramaturge ? En optant pour ce type de sujet, Corneille ne fait que se conformer à un usage qui s'est étendu à une grande partie de l'Europe dans la première moitié du XVIIᵉ siècle. C'est une idée de la Réforme catholique (ou Contre-Réforme), lancée par les jésuites, reprise dans la Rome pontificale et, sous une forme quelque peu différente, dans l'Espagne des grands dramaturges baroques (Lope de Vega, Calderón, Tirso de Molina, tous hommes de religion). Elle résulte d'une réflexion sur la possibilité d'une littérature chrétienne moderne. La tragédie, sommet de la hiérarchie des genres littéraires (seule l'épopée lui est supérieure en dignité), se doit d'illustrer les destinées des héros chrétiens et de leur donner un éclat équivalent à celui des héros antiques. Plutôt que les vicissitudes des Œdipe, Antigone et autres Agamemnon, il faut que la scène tragique conte les tribulations et les hauts faits des saints de l'Eglise. C'est à cette condition qu'on pourra restaurer la place de la religion chrétienne dans l'univers culturel des

1. La question des rapports difficiles de l'Eglise et du théâtre a fait l'objet de plusieurs ouvrages. On se reportera à ceux de L. Thirouin, de H. Philips et de J. Dubu en Bibliographie. Pour une synthèse rapide, voir S. de Reyff, *L'Eglise et le théâtre. L'exemple de la France au XVIIᵉ siècle*, Paris, Cerf, 1998.

élites de l'Europe. Compte tenu des exigences du genre tragique, le martyr apparaît comme un héros idéal : semblable à tout héros de tragédie de l'époque, il meurt, non sans avoir résisté à ses persécuteurs en faisant preuve de la vertu de « constance » (nous sommes alors en pleine vogue du néostoïcisme). Mais cette mort n'est pas une mort profane : elle est au bénéfice de Dieu et de l'Eglise. C'est un sacrifice à l'image de celui du Christ. Et ce sacrifice est accepté au nom de la gloire de Dieu, substitut de la gloire personnelle ou de celle de la race (du « nom ») qu'invoquent les héros des tragédies modernes, tout pénétrés de valeurs nobiliaires. Un des grands objectifs de la Réforme catholique était précisément de réconcilier l'appétit de gloire des élites et la vertu chrétienne[1]. Toute une littérature s'efforçait de convaincre cette frange décisive de la société que la voie étroite était praticable. Dans sa *Cour sainte* (1624), une des lectures favorites des contemporains de Corneille, le père Caussin démontrait comment les puissants de ce monde peuvent cultiver leur aspiration à la grandeur tout en demeurant serviteurs de Dieu.

Le martyr, héros chrétien, aura donc les discours et les comportements du héros de la Réforme catholique, le héros magnanime[2], dont ce qu'on a appelé le héros « cornélien » est la réalisation la plus aboutie. On ne s'étonnera pas, par conséquent, que Polyeucte le chrétien, son épouse Pauline et son rival Sévère présentent des caractéristiques qu'ils partagent avec les héros d'autres pièces profanes de Corneille. Le héros de Dieu n'est pas par essence dissemblable du héros de la Rome antique ou de celui de l'Espagne reconquise sur les Mores. Corneille s'adresse à son public dans le langage dont celui-ci est familier et qu'il attend désormais de

---

1. Voir, à ce sujet, les développements de D. Clarke (*Pierre Corneille. Poetics and Political Drama under Louis XIII*, Cambridge, 1992, p. 234-250). Le personnage du martyr, au reste, n'est pas cantonné au théâtre ; on le trouve aussi dans le roman ; ainsi *Agatonphile ou les martyrs siciliens* (1630) de J.-P. Camus. 2. Pour des recherches approfondies sur l'univers culturel et idéologique qui a donné naissance à l'héroïsme cornélien, voir l'ouvrage d'A. Stegmann, *L'Héroïsme cornélien. Genèse et signification* (Paris, Armand Colin, 1968), que complètent les considérations de M. Fumaroli dans *Héros et orateurs* (Genève, Droz, 1990), p. 323-348.

l'auteur du *Cid*. Les personnages font preuve de « générosité », placent leur « gloire » et leur « devoir » (voir en
particulier les vers 795-796) au-dessus de tout autre
intérêt, manifestent leur sens de l'« honneur », ne se
conçoivent pas comme « âmes communes » (v. 1403),
ont une hantise de tout ce qui est « lâche ». Mais l'héroïsme, bien sûr, n'est pas qu'une affaire de lexique. Les
valeurs que déclame le héros fondent ses choix de
comportements, motivent des actions dramatiques
riches d'effets de surprise et de suspens. Ainsi, il faudra
toute l'aspiration de l'être héroïque à la « générosité »,
associée à sa hantise de déchoir aux yeux de la femme
aimée, pour amener Sévère au comble des hauts faits :
tenter de sauver la vie d'un rival aimé de Pauline...

L'héroïsme de *Polyeucte* ne se conçoit d'ailleurs pas
sans une dimension hyperbolique dont il est redevable à
la tradition romanesque. Certaines péripéties de la tragédie de Corneille ne sont pas indignes du *Grand Cyrus*,
le monumental roman de Madeleine de Scudéry qui sera
publié au milieu du siècle [1] : ainsi l'histoire de cet amant
éconduit (autrement dit Sévère), parti chercher une
belle mort à la guerre, ayant survécu malgré lui, et qui
revient, malgré lui, couvert de gloire ; veut-on échanger
cet amant prisonnier contre des otages ? cent chefs y suf-
firont à peine (v. 304) ! Romanesque également dans les
situations amoureuses paradoxales jusqu'à l'exacerba-
tion. Soupirant sans espoir, le même Sévère est incapable d'en tenir rigueur à la « cruelle » responsable de
son sort. Bien au contraire : « Tout violent qu'il est, mon
désespoir l'adore » (v. 442). Le berger Céladon, personnage principal de *L'Astrée*, roman pastoral d'Honoré
d'Urfé qui a fixé le code amoureux pour tout le
XVIIe siècle, ne s'exprimait pas autrement. Pauline elle-
même, toute « femme forte [2] » qu'elle s'affirme, ne
dédaigne pas de s'attacher à des considérations pré-

---

1. On a même pu relever plusieurs situations topiques communes au
Grand Cyrus et à *Polyeucte* (voir R. Guichemerre : « Une situation dramatique traitée par P. Corneille et Mlle de Scudéry : l'ultime entrevue entre
une femme mariée contre son gré et un amant toujours cher », in *Thèmes
et genres littéraires aux XVIIe et XVIIIe siècles. Mélanges en l'honneur de J. Truchet*,
Paris, PUF, 1992, p. 393-400).   2. Sur cette notion, voir note 1,
p. 149.

cieuses de casuistique amoureuse (v. 500 *sq.*), qui vont jusqu'à reconnaître à son attirance pour Sévère le caractère ineffable du « je ne sais quoi ». Et, comme il est de convention dans le roman, l'amour immanquablement prend le pas sur l'héroïsme[1]. Polyeucte, le futur martyr, le chrétien valeureux, se présente d'abord au public comme un homme amoureux, qui ne trouve pas de mots assez forts pour célébrer « ce que c'est qu'une femme » (v. 9). Le héros qui ne frémira pas devant la perspective des supplices et de l'exécution recule à l'idée de peiner son épouse. Seules les larmes de la femme aimée peuvent lui donner des « alarmes » et faire plier un « courage » comme le sien : « Sur mes pareils, Néarque, un bel œil est bien fort[2]. »

Mais ce qui fait la singularité de *Polyeucte martyr*, c'est l'amalgame, l'association délibérée et maîtrisée entre les figures du chrétien et du héros. Le chrétien, comme le relevaient nombre de penseurs du premier XVIIe siècle[3], possède intrinsèquement des qualités de magnanimité et de franchise qui, poussées à l'extrême, peuvent devenir aussi des qualités héroïques. Au stade du martyre, du sacrifice suprême, l'analogie est même parfaite. On ne s'étonnera pas dès lors que le héros martyr, avant de s'affirmer comme tel, ait manifesté des dispositions qui ont pu faire de lui un héros « normal », « grande âme » (v. 2) et « cœur tant de fois dans la guerre éprouvé » (v. 3), auteur de « grandes actions » (v. 1174) et d'« exploits » (v. 1179). La substitution d'un héroïsme à l'autre, qui aura lieu dès le bris des idoles, confirme que

---

1. Le genre de la tragédie, tel qu'on le concevait au XVIIe siècle, imposait du reste à Corneille d'introduire une histoire d'amour dans sa pièce, de « mélanger les tendresses de l'amour humain et la fermeté du divin » (Examen de *Polyeucte*, p. 49). Corneille satisfait à cette contrainte en introduisant l'histoire de Pauline et Sévère (voir Dossier, « Commentaires », p. 168-169). 2. V. 87 (voir également v. 411 *sq.*). Polyeucte sur ce point ne diffère pas de ses homologues des pièces précédentes de Corneille. Curiace disait déjà « que les pleurs d'une amante ont de puissants discours / Et qu'un bel œil est fort avec un tel secours ! » (*Horace*, 1641, v. 577-578). 3. On songe, par exemple, à Du Vair. Pour un rapide exposé de son stoïcisme chrétien, voir S. de Reyff, « Guillaume du Vair, philosophe de la magnanimité », *La Vie spirituelle* 75 (1995), p. 463-468.

le martyre n'est finalement qu'un cas particulier d'héroïsme :

> Si mourir pour son prince est un illustre sort,
> Quand on meurt pour son Dieu, quelle sera la mort ?
> (v. 1213-1214).

Cette continuité héroïque, qui assimile héros mondain et héros chrétien, trouve une fois encore sa marque dans le langage. Le héros de théâtre recherche la gloire, s'inquiète de sa propre gloire (dans le sens de « réputation »), tandis que le héros chrétien aspire à la gloire de Dieu (voir les vers 76, 719, 1090, 1263, 1522, 1679), terme issu du vocabulaire théologique, au bénéfice d'une tradition immense[1]. Sévère et Polyeucte se font écho sur ce point : Polyeucte meurt en aspirant à la gloire (celle de Dieu) (v. 1679) ; Sévère renchérit à distance : « périssant glorieux je périrai content » (v. 1410). Le saint, comme le héros, comme la femme vertueuse (v. 168, 355, 620), livre un combat (v. 1082). Et, même s'il aspire à l'au-delà, Polyeucte demeure, comme son rival, conscient que l'enjeu ultime de la victoire héroïque est la trace laissée, lisible pour la postérité : l'un et l'autre, en prétendant quitter ce monde, prient les survivants de conserver leur « mémoire[2] ». Ailleurs enfin il sera question de « mérite », notion relevant du langage religieux (v. 658, 1269), mais également attribut définitoire du héros cornélien (v. 185, 468, 506, 1295).

Comme le héros, le martyr fait fi de tout calcul. Le don est radical, absolu, et ne souffre aucun compromis, aucune demi-mesure[3]. Cette attitude de « générosité »

---

1. Le terme sert à désigner la manifestation même de l'Etre divin. L'homonymie des deux « gloires » est d'ailleurs trompeuse : elle peut conduire à des contresens. Voir, par exemple, note 2, p. 152.   2. Sévère : « Je veux mourir des miens [les maux], aimez-en la mémoire » (v. 549). Polyeucte : « Chère Pauline, adieu, conservez ma mémoire » (v. 1680).   3. Il ne faut pas perdre de vue toutefois que, de manière générale, l'aspiration à « s'offrir » comme le Christ s'est offert est une composante de la foi du chrétien — idée familière aux contemporains de Corneille, bien représentée dans une de leurs lectures religieuses favorites, *L'Imitation de Jésus-Christ* (voir IV, 8 : « De l'oblation de Jésus-Christ en la croix et de la propre résignation »). Ce texte, qui remonte au XIVᵉ siècle, sera traduit en français par Corneille en 1651. Sur les liens multiples de *L'Imitation* avec les pièces de Corneille, voir en particulier Stegmann, *op. cit.*, p. 322-334.

trouve son exacte antithèse dans le personnage de Félix.
La gratuité du geste héroïque est mise en relief par le
comportement du anti-héros, création de très haute
volée. Le père de Pauline se définit, sous tous les aspects
de sa conduite, comme celui qui « ménage » (v. 337 et
1575), c'est-à-dire qui cherche à trouver le compromis,
l'atermoiement, plutôt que d'entreprendre l'action courageuse. Tient-il fermement à condamner Polyeucte ?
c'est avant tout par souci de se concilier les dieux et
l'empereur (v. 932). Incapable de concevoir la magnanimité (seul compte le résultat, l'honneur est une chimère), il interprète le comportement des êtres qui
l'entourent à l'aune de sa vilenie. Pour lui, aucun doute
possible : Sévère aura à cœur de faire condamner
Polyeucte afin de se débarrasser d'un rival (v. 1041-
1044). Ce même Sévère entreprend-il pourtant des
démarches en faveur de Polyeucte ? c'est qu'il complote
à dessein de le discréditer, lui, Félix, auprès de l'empereur. A l'opposé de sa fille, clamant qu'elle a « l'âme
noble, et parle à cœur ouvert » (v. 463), à l'inverse de
Polyeucte, qui lui jettera à la face qu'« un chrétien ne
craint rien, ne dissimule rien » (v. 1549), Félix n'éprouve
aucun scrupule à jouer la comédie — jusqu'à feindre
une conversion au christianisme (V, 2). Sa continuelle
circonspection, son attention maniaque aux moindres
frémissements de la situation qui l'environne, son inca-
pacité à prendre une décision autre que stratégique
n'aboutissent finalement qu'à une impasse : toute son
interprétation de ce qui l'entoure était fausse. Félix le
haut dignitaire de l'Empire, rompu à la « science de la
cour » (v. 1472), s'avère, en conséquence, un « malheureux politique » (v. 1747), démontrant l'échec du calcul
dans les comportements. Ce n'est pas un hasard si Corneille l'a revêtu de couleurs machiavéliennes [1], non sans
les entacher du discrédit lié à la faiblesse des attitudes
et des actes. Félix, incapable d'assumer son autorité,

---

[1]. Durant une grande partie de sa carrière, Corneille nourrit sa pensée
politique de la confrontation aux thèses du Florentin (voir, en particulier,
Stegmann, *op. cit.*, p. 335-369). Dans *Polyeucte martyr*, on reconnaît des
idées machiavéliennes, abondamment discutées à leur époque, dont certaines, du reste, étaient reprises à leur compte par les milieux libertins (voir,
par exemple, note 1, p. 139).

s'abaisse jusqu'à reprocher à sa fille de lui avoir obéi
(v. 331). Veule, échouant à gouverner ses passions, il
laisse surgir des pensers honteux (v. 1049-1052), se
sent envahir malgré lui par la pitié (l'âme du héros
est normalement maîtresse d'elle-même, voir v. 753),
se résout passagèrement à protéger son gendre, alors
que, sur le modèle des héros romains Brutus et Manlius (v. 1703), il devait le condamner pour l'exemple.
Et ce n'est finalement qu'en réaction à cette pitié,
dans un mouvement incontrôlé de colère, une perte
de maîtrise de soi, qu'il parvient à prendre une décision aux apparences de fermeté. La déconfiture du
machiavélisme n'est pas prononcée sans la sanction
de quelques traits d'ironie. Corneille se plaît à faire
en sorte que Félix l'anti-héros invoque les héros
(v. 1705), joue les héros en adoptant leur langage — et
la grandeur chez lui devient grandiloquence : « Les
dieux et l'empereur sont plus que ma famille » (v. 930) ;
« Que jusque-là ma gloire ose se démentir » (v. 1060) ;
« J'en veux être le maître » (v. 981). Jusqu'à l'ironie
suprême qui verra Félix adhérer véritablement à la
conversion qu'il venait de feindre (v. 1763-1783), et,
héros chrétien à son tour, « aspirer à une dignité d'un
rang plus illustre » (v. 1768).

Polyeucte martyr, illustration de l'héroïsme chrétien...
Cette lecture permet de rendre compte du climat exalté
de l'œuvre, déroutant à bien des égards pour le lecteur
moderne, et fournit la clef de plusieurs singularités dans
le comportement du personnage principal. En effet,
comment expliquer, à moins d'invoquer le « réflexe »
héroïque, la prétention du futur martyr à vouloir
conquérir la gloire immortelle à laquelle il aspire, non
par une patiente et méthodique pratique des vertus de
sainteté, mais d'un seul acte péremptoire (v. 664-666) ?
Le geste héroïque se fonde ici sur le constat que la vie
est un fil fragile qui peut se rompre à tout moment —
et l'époque baroque, plus que toute autre, a témoigné
combien elle en avait conscience. Autant prendre possession de l'objet convoité d'un seul assaut courageux,
et accéder ainsi directement au « bonheur assuré »
(v. 1193) par une conquête absolue et définitive. Pari

d'une audace époustouflante, prise de risque totale, à mille lieues de tout calcul maquignon (il en va de la vie et du salut). Comme dans l'acte de bravoure militaire qui conduit à la mort, la récompense est d'un autre ordre : non point la satisfaction passagère, mais une existence d'une autre qualité. Pareille manière de présenter le salut éternel ne peut que séduire un public sensible à la gloire héroïque, à la grandeur nobiliaire, elle ne peut que stimuler en lui l'émulation. Le paradis est quelque chose qui se conquiert comme une place forte[1] : un grand geste noble une fois pour toutes, plutôt qu'une application quotidienne besogneuse. Le salut selon Polyeucte est affaire de grands cœurs plutôt que de tâcherons de la sainteté...

Un saint suspect

Mais le message chrétien ainsi adapté à l'éthique nobiliaire déborde des marges de l'orthodoxie. En fait, la doctrine de l'Eglise est très réticente à l'idée du martyre provoqué : le chrétien n'est pas un être suicidaire. Le « zèle téméraire » est condamné dès les premiers temps du christianisme[2]. Il l'est tout autant à l'époque de Corneille : les ouvrages spécialisés de théologie réprouvent unanimement les actes tels que celui de Polyeucte[3]. Les cas de martyrs briseurs d'idoles, rares à défaut d'être

---

1. Cette attitude ne fait après tout que prendre à la lettre la parole évangélique : « Le Royaume des cieux se prend par violence, et ce sont les violents qui l'emportent » (Evangile selon saint Matthieu 11, 12).   **2.** Voir l'entrée « Martyre », « Documents », p. 199-202, ainsi que les indications que fournissent l'édition de G. Couton (voir Bibliographie), t. I, p. 1645-1646, et A. Georges, « L'appel de Polyeucte et de Néarque au martyre », *Revue d'histoire littéraire de la France* 96, 1996, p. 192-211.   **3.** Signalons, par exemple, le *De martyrio per pestem* (1630) du Français T. Raynaud : une section y est consacrée à démontrer que « le renversement ou la destruction de temples d'autels ou d'idoles païennes est généralement désapprouvé » (*Opera omnia*, t. XVII, Lyon, 1665, p. 450 ; nous traduisons). La doctrine officielle de l'Eglise sera établie par le *De servorum dei beatificatione et beatorum canonisatione* (1737) du pape Benoît XIV, au Livre III, 17, « *De provocatione Tyranni* ». Elle n'acceptera ce genre de comportement qu'à la condition qu'on puisse en prouver l'inspiration divine.

exceptionnels [1], révèlent un comportement belliqueux, choquant pour les fidèles du temps de Corneille, tout autant que pour les Pères de l'Eglise ou pour nous-mêmes. Comportement d'autant plus inacceptable qu'il constitue un geste d'insubordination à l'égard de la religion officielle : une telle attitude était à même d'évoquer de mauvais souvenirs dans une France récemment pacifiée sur le plan religieux. En adoptant Polyeucte comme héros de sa tragédie à martyre [2], Corneille était donc parfaitement conscient des difficultés de réception auxquelles il s'exposait. Le choix même du saint était déroutant : toutes les autres adaptations de matière hagiographique dans la tragédie des années 1640 font appel à des saints d'une renommée bien établie (à l'exception peut-être du cas très particulier du comédien Genest), tels les Alexis, Eustache, Théodore, Herménigilde, Catherine ou Jeanne d'Arc. Corneille jette son dévolu sur un saint mineur et inconnu [3], dont « beaucoup ont plutôt appris le nom à la comédie qu'à l'église » (*Abrégé du martyr de saint Polyeucte*, voir p. 40). Un saint suspect de surcroît, auquel les ouvrages religieux ne se réfèrent qu'exceptionnellement : même l'existence d'une tragédie du plus célèbre auteur du XVIIe siècle sur le sujet de Polyeucte ne parviendra pas à donner un nouvel essor à la renommée confidentielle du saint briseur d'idoles.

Et, de fait, le saint conquérant et belliqueux de Corneille sera mal reçu des milieux dévots (entendons par ce terme les milieux qui prennent la religion au sérieux) [4]. Le brillant théologien janséniste Nicole, un

---

1. On connaît par exemple saint Procope, qui avait fait l'objet de plusieurs pièces jésuites en Allemagne et dont G. Couton (*op. cit.*, t. I, p. 1624) signale une version française de 1635.   2. Le choix de Corneille se fonde en grande partie sur des motivations « techniques » : pour un développement de cette question, voir Dossier, « Commentaires », p. 165-170.   3. En fait, Corneille n'a pas « trouvé » Polyeucte lui-même. Le sujet avait déjà fait l'objet d'une adaptation en Italie quelques années auparavant. Voir Dossier, « Documents », p. 190-194.   4. De manière générale, les témoignages sur la réception de *Polyeucte* sont rares et quelque peu sujets à caution. Ils concordent tous cependant dans le sens d'un succès auprès des « gens du monde » et de réserves de la part des « dévots », selon la formule de l'Examen de la pièce (p. 49-50).

des penseurs majeurs du XVIIᵉ siècle, rédigera quelques
années plus tard un traité qui condamne le théâtre sans
appel. Dans sa ligne de mire, les tragédies de Corneille,
et principalement cette alliance contre nature de l'héroïsme de théâtre et de la sainteté :

> La plupart des vertus chrétiennes sont incapables de
> paraître sur le théâtre. Le silence, la patience, la modéra-
> tion, la sagesse, la pauvreté, la pénitence ne sont pas des
> vertus dont la représentation puisse divertir des specta-
> teurs ; et surtout on n'y entend jamais parler de l'humilité
> ni de la souffrance des injures. Ce serait un étrange person-
> nage de comédie qu'un religieux modeste et silencieux. Il
> faut quelque chose de grand et d'élevé selon les hommes,
> et au moins quelque chose de vif et d'animé — ce qui ne
> se rencontre point dans la gravité et la sagesse chrétiennes.
> Et c'est pourquoi ceux qui ont voulu introduire des saints
> et des saintes sur le théâtre ont été contraints de les faire
> paraître orgueilleux, et de leur mettre dans la bouche des
> discours plus propres à ces héros de l'ancienne Rome qu'à
> des saints et des martyrs [1].

En raison de sa nature profonde, le héros de théâtre
est trop tributaire des valeurs du monde. Veut-on en
faire un témoin des valeurs spirituelles ? Il n'intéressera
plus le monde. Vise-t-on à le calquer sur les valeurs du
monde ? Il ne sera plus un saint. Il y a là une contradiction insurmontable, dont Nicole ne se privera pas de
dénoncer l'origine : « Une des grandes marques de la
corruption de ce siècle est le soin qu'on a pris de justifier
la comédie [c'est-à-dire le théâtre], et de la faire passer
pour un divertissement qui se pouvait allier avec la dévotion. » En effet, « le caractère de ce siècle est de prétendre allier ensemble la piété et l'esprit du monde [2] ».

Le Ciel et le Monde

Ce n'est pas un hasard si la question des rapports de
la piété et de l'esprit du monde — du Ciel et du Monde,
pour poser l'antagonisme dans ses termes les plus clairs

---

1. Pierre Nicole, *Traité de la comédie* (1667), éd. L. Thirouin, Paris, Champion, 1998, p. 64.   **2.** *Ibid.*, p. 32.

— fonde l'argument principal qui autorise Nicole à rejeter le principe même de l'activité théâtrale. La question
appartient au cadre de pensée des contemporains de
Corneille et, en tant que telle, elle constitue sans surprise l'enjeu principal de *Polyeucte*, son thème (à ne pas
confondre avec son sujet). Chateaubriand déjà voyait
dans la pièce « cette querelle immense entre les amours
de la terre et les amours du ciel[1] ».

Le spectateur auquel s'adresse Corneille a beau
attendre d'une tragédie qu'elle exhibe les valeurs mondaines — comme le lui reprochera Nicole[2] —, il n'en
est pas moins sensible à l'écart entre sa conduite quotidienne et celle qu'il devrait adopter s'il tenait compte
du Ciel. Un tel spectateur n'est pas pour dédaigner une
exhortation aux valeurs célestes dans ce qu'elles ont de
plus exigeant : ce n'est pas parce qu'on mène une vie
éloignée de la perfection religieuse (et qu'on ne fait
guère d'effort pour y parvenir) qu'on demeure indifférent ou hostile aux discours qui s'emploient à remontrer
cet éloignement. Paradoxe d'un public goûtant le con-
fort du monde, mais aspirant en même temps à l'effort
inhumain du renoncement au monde. Ici encore, on
reconnaît une donnée propre à la culture de la Réforme
catholique. Le courant ascétique, constante de la pensée
chrétienne dès les premiers temps de l'Eglise, y suscite
un regain d'intérêt marqué. Les textes de la littérature
religieuse les plus prisés sont *L'Imitation de Jésus-Christ*
ou *Le Combat spirituel* de Scupoli[3], textes qui invitent
au détachement du monde et au repli sur les valeurs
spirituelles. Et cet engouement pour un discours d'hu-

---

1. *Génie du christianisme*, II, 3, 8   **2.** « Les gens du monde, spectateurs
ordinaires des comédies, ont trois principales pentes. Ils sont pleins de
concupiscence, pleins d'orgueil et pleins d'estime de la générosité humaine,
qui n'est autre chose qu'un orgueil déguisé. Ainsi les poètes, qui doivent
s'accommoder à ces inclinations pour leur plaire, sont obligés de faire en
sorte que leurs pièces roulent toujours sur ces trois passions, et de les remplir d'amour, de sentiments d'orgueil, et des maximes de l'honneur
humain » (*op. cit.*, p. 68).   **3.** Il s'agit d'un traité, publié en Italie en
1598, dont l'influence s'étendit à toute l'Europe catholique, et tout particulièrement à ce qu'on a appelé l'école de spiritualité française (illustrée par
des auteurs comme Bérulle et saint François de Sales). Sur *L'Imitation de
Jésus-Christ*, voir note 3, p. 15.

milité, voire de pénitence, atteint jusqu'aux milieux que nous jugerions les moins enclins à l'ascèse : ceux qui assistent aux représentations théâtrales, et qui correspondent, à l'époque de Corneille, à l'élite sociale. C'est ainsi qu'en 1631 on jouait devant la cour pontificale, lieu d'opulence s'il en est, un opéra consacré à saint Alexis[1] : fils d'un notable romain, Alexis abandonne son épouse au seuil de sa nuit de noces et mène une vie de pauvreté et d'humiliations qui le conduira finalement incognito dans la maison de son père. Histoire exemplaire d'un long renoncement par étapes progressives : à la richesse matérielle, aux honneurs, à l'amour humain enfin. Incontestablement, la lecture du texte de l'opéra romain éclaire le traitement cornélien du sujet de *Polyeucte*[2] : même dédain affirmé pour les valeurs mondaines, « biens passagers » (v. 1185), jouets de la fortune, quantité négligeable en regard des valeurs célestes.

À placer Ciel et Monde aux deux extrémités de l'échelle des valeurs, on en vient à prononcer un dégoût de la vie qui heurte notre sensibilité moderne. Rien là qui dût choquer les contemporains de Corneille. En méprisant « le peu qu'est la vie » (v. 1231), Polyeucte tient son rang parmi les sectateurs de la longue tradition de l'ascétisme chrétien. Les propos que lui attribue Corneille font écho à de nombreux passages de *L'Imitation de Jésus-Christ*. Il suffit d'ouvrir la traduction cornélienne aux chapitres I, 23 (« De la méditation de la mort ») ou III, 20 (« De l'aveu de la propre infirmité et des misères de cette vie ») pour

---

1. Le *Sant'Alessio* de G. Rospigliosi, musique de S. Landi. Enregistrement sur CD par les « Arts Florissants », sous la direction de W. Christie (Erato, 1996, 0630-14340-2). Le sujet sera repris en France, pour une tragédie, par le comédien auteur Desfontaines aux alentours de 1645 (édition critique de la pièce par C. Bourqui et S. de Reyff, Paris, STFM, à paraître).
2. Le grand critique Leo Spitzer avait déjà mis en évidence les liens qui unissent les deux récits hagiographiques, sans pour autant avoir connaissance de l'existence des pièces de Rospigliosi ni de Desfontaines (« Erhellung des *Polyeucte* durch das Alexius-Lied », *Archivium Romanicum* 16, 1932, p. 473-500). Signalons en passant un autre indice de la parenté des histoires d'Alexis et de Polyeucte aux yeux des contemporains de Corneille : le « Panégyrique de saint Alexis » (1660) du prédicateur Jean-François Senault porte, en épigraphe de sa version imprimée, la citation de l'Evangile de Matthieu à laquelle fait allusion Polyeucte (v. 69).

prendre la mesure de l'adéquation des idées de *Polyeucte* à celles que professait la littérature religieuse goûtée par les lecteurs du temps. « Monde, pour moi tu n'as plus rien » (v. 1140) : le constat du martyr est de même nature que l'aspiration du chrétien dévot.

Mépriser le monde, aimer la mort, considérer les souffrances comme félicités : c'est là le paradoxe des chrétiens, qu'on aimait à représenter, à l'époque de Corneille, comme incompréhensible aux païens de l'Empire romain. La mort convoitée, celle des martyrs, toute une littérature la célèbre. Ouvrons au hasard le catéchisme de Louis de Grenade.

> [les martyrs] savaient très certainement que, passé le dernier soupir, aussitôt que le fil de l'épée aurait passé par leur col, en ce même instant, sans aucun délai, ils viendraient à voir et jouir de cette infinie beauté que tant ils avaient aimée ; et que leurs âmes seraient incontinent élevées par les anges, avec couronnes de martyrs pour être colloquées entre les chœurs et troupes des saints où ils jouiraient à toujours d'éternelles délices, de biens qui ne furent oncques ni vus d'iceux, ni ouïs d'oreilles, ni compris de cœur ou entendement humain. Qui est donc celui qui ne se fût efforcé, qui n'eût pris courage, et qui n'eût gaillardement guerroyé à l'encontre de toute la puissance du monde avec telles armes [1] ?

Prenons encore, parmi une multitude d'autres textes, la *Méditation sur le Psaume CXV* d'Antoine Godeau, auteur religieux de premier plan après avoir été un personnage en vue du microcosme littéraire de l'époque :

> Car le contentement de mourir pour la défense de votre nom, et l'indubitable espérance d'une meilleure vie que celle qu'ils perdaient, faisait que pour eux [les martyrs], les chevalets, les bûchers, et les roues n'avaient rien ni d'horrible ni de rude. [...] Si on eût interrogé les martyrs lorsqu'ils étaient dans les flammes, en quel état se trouvait leur esprit, quelle réponse pensons-nous que ces courageux athlètes eussent rendue ? qu'ils craignaient de mourir, non certes, jamais cette parole ne fût sortie de leurs bouches. Ils se fussent plutôt plaints que la mort tardait trop à venir, que leurs bourreaux étaient trop cléments, et si on eût vu quelques larmes sur leurs visages,

---

1. Traduction française de 1602 (Lyon, Morillon), p. 454.

elles eussent été plutôt des signes de leur joie, que de leur crainte ou de leur tristesse. Les Ignaces irritaient les lions, et désiraient d'être brisés et moulus sous leurs dents ; les vierges délicates se moquaient de l'appareil de leurs supplices, et pour paraître belles aux yeux de leur époux, ne se paraient que de leurs plaies [1].

Ainsi requis de se déterminer face à cette alternative, le Monde ou le Ciel, le chrétien, une fois son choix fait, n'aura de cesse, s'il presse quelque peu la logique de ses convictions, de rejoindre au plus vite le ciel, et cela en particulier si, comme on l'a vu plus haut, cette détermination coïncide avec un acte héroïque. En conséquence, il lui tiendra à cœur, comme Polyeucte, de se mettre en garde contre tout ce qui, dans son cheminement terrestre, pourrait entraver sa progression vers la destination ultime, « bonheur assuré, sans mesure, et sans fin », « grandeur immortelle » (v. 1192-1193). *L'Imitation de Jésus-Christ*, encore une fois, le répétait à l'envi : c'est vanité

D'aimer la longue vie et négliger la bonne,
D'embrasser le présent sans soin de l'avenir,
Et de plus estimer un moment qu'il [le monde] nous donne
Que l'attente des biens qui ne sauraient finir [2].

Dédaigner le monde équivaut donc à manifester du mépris pour ses attachements. Attachements qui ne se bornent pas au luxe, aux valeurs matérielles et aux cha-

---

1. *Prières et Méditations chrétiennes*, *Œuvres chrétiennes*, Paris, Camusat, 1633, p. 132 et 144. Notons au passage que la transformation des douleurs en source de félicité est courante dans les tragédies à martyre contemporaines, où l'on retrouve souvent la rime « supplices / délices » (voir *Polyeucte*, v. 89-90, ainsi que v. 951). C'est sur un semblable lieu commun que saint François de Sales greffe son éloge de la dévotion : « Les feux, les flammes, les roues et les épées semblaient des fleurs et des parfums aux Martyrs, parce qu'ils étaient dévots ; que si la dévotion peut donner de la douceur aux plus cruels tourments et à la mort même, qu'est-ce qu'elle fera pour les actions de la vertu ? » (*Introduction à la vie dévote*, I, 2, in *Œuvres*, éd. A. Ravier, Paris, Gallimard, 1969, p. 34-35). Rotrou reprendra significativement la même image dans son *Véritable Saint Genest* (1647) : « Il semble que les feux soient des fleurs sous tes pas » (v. 296).   **2.** I, 1 : « De l'imitation de Jésus-Christ et du mépris de toutes les vanités du monde » (v. 57-60).

touillements de l'honneur. Ils incluent aussi l'amour
humain. Et, sur ce point, le discours de l'ascétisme chrétien et, partant, la tragédie de *Polyeucte martyr*, sont tota-
lement en porte-à-faux avec les mœurs et les convictions
du lecteur ou du spectateur d'aujourd'hui. Dès les premières répliques de la pièce, les termes de l'affrontement
sont posés : l'amour humain est présenté comme obstacle au baptême, et à ce titre il est jugé diabolique ; la
femme est un danger pour le salut de l'âme, selon le
principe du « coup mortel qui plaît, quand il vous tue »
(v. 106)[1]. Le parcours de Polyeucte sera donc conçu en
sorte de donner au public, qui place l'amour humain au-
dessus de toute autre valeur, l'exemple d'un dépassement de cette attache mondaine. Le futur martyr, au
lever de rideau, a tous les traits du galant parfait tel que
le conçoit le code amoureux de l'époque ; quelques cen-
taines de vers plus loin, il ne « goûte plus l'appas »
(v. 1158) de son épouse et, dans une scène extraordinai-
rement déroutante pour le public mondain, il abandonne de manière démonstrative cette épouse à son rival
— par charité chrétienne, pour « soulager » Pauline,
qui est si adonnée à la passion mondaine de l'amour
(v. 1587-1588). Un geste au-delà des normes de
comportement, un choc absolu. On comprend que Voltaire ne comprenait pas[2]...

Dans un passage de la première scène de la pièce
(v. 69-76), les attachements humains sont même désap-
prouvés dans leur principe. Il n'y a pas lieu, dans un tel
propos, de déceler l'inhumanité que nombre de
commentateurs se sont plu à y dénoncer. On aurait tort
de se scandaliser d'une idée qui tire sa substance d'un
passage des Evangiles[3], simple déclinaison d'une échelle
des valeurs qui, pour n'être plus universellement par-
tagée aujourd'hui, n'en est pas moins inhérente à la
pensée chrétienne. Idée commune, au reste, que les
contemporains ont ressassée à l'infini, de saint François

---

1. A noter que Nicole ne dira pas autre chose pour qualifier la comédie
(voir en particulier sections II-IV dans l'édition Thirouin, *op. cit.*).
2. Voir, en particulier, dans le « Discours historique et critique » qui sert de
préface à la tragédie des *Guèbres* (1769) : « La cession qu'il fait de sa femme à
un païen a paru enfin à plusieurs personnes choquer la raison, les bienséances, la nature, et le christianisme même. »   3. Voir note 4, p. 58.

de Sales[1] à Pierre Nicole — lequel la mettra à profit lorsqu'il s'agira de condamner le théâtre distillateur de la passion amoureuse :

> Dieu ne demande proprement des hommes que leur amour ; mais aussi il le demande tout entier. Il n'y veut point de partage. Et comme il est leur souverain bien, il ne veut pas qu'ils s'attachent ailleurs, ni qu'ils trouvent leur repos dans aucune autre créature, parce que nulle créature n'est leur fin[2].

Aspirant au Ciel, mais vivant dans le Monde, le chrétien est donc continuellement en lutte. C'est le fondement de la notion d'Eglise militante, une des idées centrales de la Réforme catholique. Le Catéchisme du concile de Trente la définit ainsi : « L'Eglise militante est l'assemblée de tous les fidèles qui vivent en ce moment sur terre ; on l'appelle militante par le fait qu'elle est en guerre perpétuelle avec les ennemis les plus monstrueux : le monde, la chair, Satan[3]. » Le Monde est le théâtre d'une guerre entre la Jérusalem céleste et la Babylone mondaine. « En l'une combat l'esprit, en l'autre la chair. » Le combat (v. 1082) du saint n'est qu'une variante héroïque du combat du chrétien. Tous deux affrontent les tentations que dispose autour d'eux, comme autant de pièges tendus, celui qu'on appelle, à mots couverts, « l'ennemi[4] ». Polyeucte lui

---

1. Le dixième livre du *Traité de l'amour de Dieu* de François de Sales s'intitule « Du commandement d'aimer Dieu sur toutes choses ». Cf. par exemple X, 4 : « L'amour de nos parents, amis, bienfaiteurs, est de soi-même selon Dieu, mais nous les pouvons aimer excessivement », *Œuvres*, éd. A. Ravier, Paris, Gallimard (Bibliothèque de la Pléiade), 1969, p. 822. Voir également *L'Imitation de Jésus-Christ*, II, 7, v. 672-676 et II, 4, v. 1015-1021. Au reste, l'idée figurait déjà dans la source hagiographique du *De probatis sanctorum historiis* de Surius (voir note 5, p. 42).   **2.** *Op. cit.*, p. 54. Cette attitude fera l'objet d'un traitement ironique dans le *Tartuffe* de Molière. Orgon le dévot se félicite en ces termes de son nouveau directeur de conscience : « Il m'enseigne à n'avoir affection pour rien, / De toutes amitiés il détache mon âme, / Et je verrais mourir frère, enfants, mère et femme, / Que je m'en soucierais autant que de cela » (v. 276-279).   **3.** Cité dans l'article de W. Blechmann (voir Bibliographie), p. 130. Nous traduisons.   **4.** Voir v. 53, 104, 1091. Surius le nommait en marge de son récit : « *Diabolus ei insidias tendit per uxoris lachrymas* » (le diable lui tend des pièges par les larmes de son épouse). Voir également *L'Imitation de Jésus-Christ* (III, 6, « Des épreuves du véritable amour »).

aussi, avant d'accéder aux « délices », doit livrer ce
combat et déjouer les « ruses de l'enfer » (v. 1653). Faisant feu d'une batterie d'artifices dont la malignité
culminera au dernier acte (quand Félix ira jusqu'à proposer sa conversion en échange de la rétractation de
Polyeucte), usant de toutes les séductions des valeurs
mondaines, « l'ennemi » s'acharne à tenter le futur martyr dans l'espoir de le dévoyer. Et c'est d'abord par
l'amour qu'il s'efforcera de parvenir à ses fins. Car
l'amour est le « défaut[1] » du chrétien, l'endroit par lequel
il est vulnérable — talon d'Achille du héros de Dieu,
comme du héros du monde : Sévère lui aussi, tout vainqueur des Perses qu'il est, révélera sa vulnérabilité en
s'évanouissant à la nouvelle du mariage de Pauline
(v. 407-408).

La ruse de l'ennemi est de « blesse[r] par la vue »
(v. 105), c'est-à-dire par le spectacle de la femme aimée,
par le regard de celle-ci également. Procédé sournois
dont la dénonciation anime sans relâche les immenses
et abondants volumes de la littérature religieuse au
temps de la Réforme catholique. Voici, parmi mille
autres exemples qu'on pourrait invoquer, les considérations du capucin Alexis de Saix dans *Le Chemin assuré
de paradis* (1627) :

> Serviteur de Dieu, si vous désirez éviter les secrètes sur-
> prises du diable, fuyez la présence des femmes comme celle
> d'un basilic [une sorte de dragon]. Celui est ignorant qui
> ne sait pas que le basilic tue l'homme de son seul regard.
> Et l'expérience ne nous apprend que trop que la femme
> est pleine d'un si mortel poison qu'elle tue celui qui, trop
> indiscret, lui abandonne ses yeux. O, que les traits qu'ils
> décochent sont vénéneux. Quelles blessures, mais plutôt
> quelles mourantes vies ressent celui qui en est une fois
> frappé[2] !

Ce n'est pas un hasard si l'expression « blesser par la
vue » est la même que celle dont on use, dans le langage
galant du temps, pour désigner le pouvoir de l'œil fémi-
nin. Polyeucte puisera à la même imagerie : le salut,

---

1. Voir note 1, p. 61.   2. Chapitre VIII, « De la renonciation à regarder
les femmes », p. 175.

pour lui aussi, passe par la capacité à se soustraire au pouvoir de l'œil assassin. Combat dont l'issue victorieuse se profilera quand, au terme de la prière des stances, le futur martyr se sentira en mesure de « voir Pauline sans la craindre » (v. 1156) et de pouvoir dire : « Et mes *yeux* éclairés des célestes *lumières* / Ne trouvent plus aux *siens* leurs grâces coutumières » (v. 1159-1160).

La vue, ici en jeu, est l'endroit par lequel le Monde « étale ses charmes » (v. 1116), par lequel l'ennemi s'insinue. C'est dans la vue également que se loge le « défaut » des païens. Les païens sont aveuglés (v. 715) — ce qui ne les empêche pas à leur tour d'accuser les chrétiens d'« aveuglement » sur le plan religieux (v. 913) comme sur le plan amoureux (v. 1314). Le diable « faisait croire aux empereurs que les idoles étaient de vrais dieux et que par leur faveur ils avaient obtenu l'empire du monde [1] ». L'idolâtrie est le comble de l'aveuglement : elle consiste à se tromper d'objet d'adoration en accordant sa vénération à des entités matérielles, faites de bois ou de métal (v. 716), simulacres de la divinité. Or l'idolâtrie est un risque qui menace continuellement le monde, en 1643 pas moins qu'en 251 (date historique du martyre de Polyeucte). Elle s'insinue dans le langage amoureux tel que le pratiquent les contemporains de Corneille, langage de l'adoration mondaine : la femme y est traitée comme une idole, nommée idole, on lui voue un culte, on lui offre des sacrifices ; les désirs amoureux sont appelés des « vœux ». Nicole, pourfendeur de cette idolâtrie nouvelle, dénoncera avec insistance cette perversion : un chrétien « doit avoir une extrême horreur d'être lui-même l'objet de l'attache et de la passion de quelque autre personne, et d'être ainsi en quelque façon son *idole* ». *A fortiori* les femmes

> [...] qui sont bien aises de tenir dans le cœur des hommes une place qui n'appartient qu'à Dieu seul, en prenant plaisir d'être l'objet de leur passion. [...] elles souffrent sans peine qu'on le leur témoigne par ce langage profane qu'on appelle cajolerie, qui est l'interprète des passions, et qui dans la vérité est une sacrilège *idolâtrie* [2].

---

1. Catéchisme de Louis de Grenade, *op. cit.*, p. 455.   2. *Ibid.*, p. 56.

Il faut bien voir que, dans le texte de son *Polyeucte*,
Corneille joue de ce double registre de l'idolâtrie réelle
et de l'idolâtrie langagière, ainsi que des résonances
polysémiques qu'évoquent les termes de « sacrifice » ou
d'« adoration »[1]. Les amalgames et les glissements de
sens, les affinités soulignées entre les deux formes d'idolâtrie, confèrent une dimension symbolique supérieure
au geste du bris des idoles — par ailleurs geste public,
geste *visible* et spectaculaire, et donc geste qui met en
abyme la situation théâtrale qui le représente. De même
que Polyeucte fait voler en éclats les idoles du paganisme, Corneille prétend-il mettre en pièces le langage
de l'adoration mondaine ? Il est manifeste en tout cas
que, dans *Polyeucte*, le temps de ce langage est un temps
fini, pour le martyr comme pour les autres personnages.
Quand Sévère, décontenancé par la déclaration de
renoncement de Polyeucte, adressera à Pauline l'inévitable compliment mondain (IV, 5), les formules conve-
nues de son propos apparaîtront étrangement hors de
leur place. La fin de non-recevoir opposée par la destinataire des éloges confirmera que, désormais, le langage
de l'idolâtrie n'a plus de prise.

Aveugles dans leur idolâtrie, les païens le sont aussi
dans leur lecture des événements auxquels ils sont
confrontés. Félix et sa fille Pauline se leurrent continuellement en décryptant, au plan mondain uniquement,
tous les signes qui leur sont délivrés : Pauline interprète
de façon erronée les prédictions du songe prémonitoire ;
Félix, comme on l'a souligné plus haut, est trop préoc-
cupé des intérêts d'ici-bas pour déceler d'autres enjeux.
Tous deux sont incapables de saisir le sens sacré. Tous
deux se méprennent sur le pouvoir véritable de l'exemple
(lequel procède lui aussi de la vue) et ne discernent pas
que, pour un chrétien, le spectacle de la mort d'un core-
ligionnaire, bien plutôt qu'un frein, est d'abord une
émulation (voir v. 879-888 et 958-960).

Car le rôle du martyr, conformément à l'étymologie
du terme (« martyr » provient d'un mot grec qui signifie
« témoin »), est de témoigner, de « faire éclater » (v. 719)
la gloire de Dieu, « aux yeux des hommes » (v. 645) et,

---

1. Voir les v. 371, 628, 711.

en dernier ressort, de poser un terme à l'aveuglement du monde. Il est donc dans l'ordre des choses que le spectacle du martyre convertisse les assistants — et au premier rang les bourreaux. Pauline et Félix n'échappent pas à la règle. Le sang de son mari va « dessiller les yeux » de Pauline (v. 1726) ; et c'est par un « Je vois, je sais, je crois » que débutera la profession de foi de la nouvelle convertie. Félix, de son côté, ne verra plus que « faux lustre » dans les « tristes dignités » (v. 1766-1767) qui l'éblouissaient jusqu'alors. Car Polyeucte le martyr a fini par leur ouvrir les yeux et fixer leur regard sur les « célestes lumières » (v. 1159, 1724). Désormais ils ne succomberont plus aux illusions provoquées par ce monde instable (v. 1111) et trompeur[1], qui ne propose rien de ferme : « Aujourd'hui dans le trône, et demain dans la boue » (v. 1188). Alors qu'auparavant Pauline vivait dans les « agitations » (v. 725), qu'elle était assaillie d'« inconstantes images » (v. 722), de visions « brouillées » (v. 733), alors que Félix avait l'âme « agitée » (v. 1005), « inquiétée » (v. 1006), l'un et l'autre contemplent désormais la fixité et la solidité des cieux, et ont atteint les marches de la « tranquillité » (v. 723). Cette autre opposition — lieu commun de la pensée baroque —, de la fixité et de la mouvance, de la « vanité » et de l'« effet » (la concrétisation), du solide et de l'instable, innerve elle aussi la substance de toute la pièce.

Fiction et vérités

Nicole arguera précisément de l'instabilité du monde pour condamner le théâtre :

---

1. Cette thématique du monde trompeur avait été abordée avec une insistance particulière dans le *Commentaire sur l'Ecclésiaste* de saint Bonaventure, qui a exercé une influence certaine sur l'école française de spiritualité, dont les auteurs religieux de la première moitié du XVIIᵉ siècle répercutent à leur tour les tendances majeures. Cf., à titre d'exemple parmi beaucoup d'autres, A. Godeau : « Que je meure plutôt que [...] de souhaiter ces plaisirs qui n'avaient qu'une fausse douceur mêlée de véritables amertumes » (*Prières et Méditations chrétiennes, op. cit.*, 1633, p. 39). Dans *L'Imitation de Jésus-Christ* traduite par Corneille, le monde est défini comme « ce dangereux *flatteur* de nos faibles esprits » (I, 2, v. 45).

Un des premiers effets de la lumière de la grâce est de découvrir à l'âme le vide, le néant, et l'instabilité de toutes choses du monde, qui s'écoulent et s'évanouissent comme des fantômes, et de lui faire voir en même temps la grandeur et la solidité des biens éternels ; et cette même disposition produit dans toutes les âmes chrétiennes une aversion particulière pour les comédies, parce qu'elles y voient un vide et un néant tout particulier. Car si toutes les choses temporelles ne sont que des figures et des ombres sans solidité, on peut dire que les comédies sont les ombres des ombres et les figures des figures, puisque ce ne sont que de vaines images des choses temporelles, et souvent des choses fausses [1].

Si donc le théâtre est ombre de l'ombre, pourquoi est-il jugé si dangereux ? pourquoi mérite-t-il l'opprobre et la condamnation ? A cause de la puissance des images — et Nicole consacre son traité à démontrer comment elle opère. Les images laissent des « impressions » dans l'âme : « L'esprit y étant transporté et tout hors de soi, au lieu de corriger ces sentiments, s'y abandonne sans résistance, et met son plaisir à sentir les mouvements qu'ils inspirent, ce qui le dispose à en produire de semblables dans l'occasion [2]. » Corneille ne s'est jamais prononcé sur pareille matière, mais ses prises de position sur l'« utilité du poème dramatique [3] » indiquent qu'il aurait souscrit sans hésitation à cette description du pouvoir des fictions théâtrales. Contrairement à Nicole, mais conformément à l'esprit de la Réforme catholique et à ses zélateurs français [4], le plus grand auteur dramatique de son temps ne jugeait pas inopportun de mettre au service de la foi catholique les ressources les plus opérantes de son art. Et, par voie de conséquence, guère moins incongru de proclamer le dédain du monde devant un public très peu enclin à se conformer à un tel principe, d'évoquer sur une scène l'action héroïque du bris des idoles, alors même que les contemporains tendaient à n'y voir que « zèle téméraire ». Car c'est ainsi que le théâtre et les romans font leur effet : il n'y a pas nécessité que la fiction se restreigne au champ étroit de la réalité possible, que la vie de la scène corresponde à

---

1. *Op. cit.*, p. 108.   2. *Ibid.*, p. 74.   3. Dans le « Premier Discours » sur le poème dramatique   4. Voir Dossier, « Documents », p. 182-183.

la vie hors de scène. L'orgueil et l'ambition sont communiqués au spectateur pusillanime par le spectacle exaltant de hauts faits exceptionnels ; l'amour s'instille par la représentation idéalisée de l'amour (c'est le grief principal qu'adresse Nicole à la représentation théâtrale) ; la foi chrétienne sera peut-être raffermie par l'enthousiasme du martyre... Faut-il dès lors s'étonner que la tragédie de *Polyeucte martyr* ne s'attache nullement à représenter une vie chrétienne humble, accessible au spectateur ? Bien au contraire : il est impératif, comme pour tout spectacle tragique[1], de créer une exaltation par le haut fait religieux, œuvre du héros chrétien[2]. C'est par ce biais que la tragédie religieuse, au-delà du spectacle profane qu'elle était appelée, comme toute tragédie[3], à constituer, pouvait prétendre contribuer à l'édification des élites, et ainsi justifier son incursion dans le domaine du sacré.

Cette inadéquation de la fiction et de la réalité n'avait rien pour dérouter les spectateurs originels de *Polyeucte*. Le modèle du héros martyr évoluant sous leurs yeux était en quelque sorte maintenu à distance raisonnable : générateur d'enthousiasme, certes, mais non exemple à imiter *de facto*. Personne ne souhaitait d'un héros de la réalité qu'il assume sa valeur jusqu'à tuer sa sœur calomniatrice de la patrie, comme l'avait fait Horace ; personne, en tout cas dans le public mondain, n'attendait d'un chrétien qu'il repousse brutalement les séductions de ce bas monde et s'offre à mourir pour Dieu. Le martyre, en 1643 comme de nos jours, était perçu comme hyperbole de la vie chrétienne — et l'hyperbole est langage de théâtre. Le problème est que les hommes passent et les fictions, imprimées, fixées une fois pour toutes, demeurent. Elles traversent le temps sans plus

---

1. Pour de plus amples considérations sur la manière dont la tragédie communique, on se reportera à *La Poétique de la tragédie classique* (Paris, SEDES, 1997) de B. Louvat, p. 44-49.   2. Voltaire lui-même, pourtant guère enclin à l'exaltation religieuse, le ressentait pleinement : « Au théâtre on se prête toujours au sentiment naturel des personnages ; on devient enthousiaste avec *Polyeucte* » (cité par Couton, *op. cit.*, t. I, p. 1638). 3. Les exigences spécifiques imposées par la conformation de *Polyeucte martyr* au genre de la tragédie sont examinées au Dossier, « Commentaires », p. 172-179.

évoluer, sans s'adapter aux représentations changeantes
de la réalité. *A fortiori* dans le cas de la création théâtrale : la manière que nous avons de pratiquer le théâtre,
« mettant en scène » des textes figés dans une rédaction
définitive, textes souvent émigrés d'époques lointaines,
amène à l'équivoque d'une présence actuelle d'un texte
ancien (périmé ?). Un siècle après les premières représentations de *Polyeucte*, Voltaire ne comprenait déjà plus
rien à la pièce. Il se gaussait du martyr, cocu volontaire
remettant sa femme à son rival, et, dans un de ses
contes, s'amusait à transposer le geste belliqueux du bris
des idoles dans la réalité contemporaine — comme si
c'était de cela qu'il s'agissait :

> Que diriez-vous d'un gendre de Monsieur le gouverneur de
> Paris, qui serait huguenot, et qui, accompagnant son beau-
> père le jour de Pâques à Notre-Dame, irait mettre en pièces
> le ciboire et le calice, et donnerait des coups de pied dans
> le ventre à Monsieur l'archevêque et aux chanoines [1] ?

Sans y prendre garde, sans accorder toute l'attention
nécessaire, nous courons un risque bien plus grand :
celui de lire le texte dans le prisme déformant d'événements de la réalité immédiate, ce qui amènerait à
un malentendu sur le texte (puissions-nous l'avoir
démontré dans les pages qui précèdent) et sur la réalité.
C'est précisément — paradoxalement — ce qui fait l'intérêt de la tragédie de *Polyeucte martyr* — invitation à lire
la pièce (à la faire représenter ?) la plus pressante qui
soit. Dans cette relation ambivalente de proximité et de
distance, dans cet aller et retour entre événements réels
et fictions leurres, contraints de démystifier le texte, de
le mettre à distance, nous serons moins enclins à succomber aux pièges d'une réalité tout aussi peu intelli-
gible. Il n'y a pas de meilleur argument pour justifier la
lecture de ces « étranges monstres [2] » que sont désormais
pour nous les « classiques », pas de meilleure incitation
à s'adonner à l'étude et à l'analyse des textes.

Claude BOURQUI, Simone de REYFF

---

1. *Pot-pourri* (1765). Voir à la section VIII du conte.   2. L'expression est
reprise de Corneille, qui s'en est servi pour qualifier sa comédie de *L'Illusion
comique*.

NOTE SUR L'ÉTABLISSEMENT DU TEXTE

L'édition originale de *Polyeucte martyr* a été publiée le 20 octobre 1643 (date de l'achevé d'imprimer), munie d'un privilège (réservation du titre de l'ouvrage) du 30 janvier de la même année[1]. Ce texte sera réédité à plusieurs reprises, sans modifications notables, jusqu'en 1660, date à laquelle la pièce connaîtra une nouvelle version dans le cadre de l'édition collective du *Théâtre de P. Corneille* (voir la référence précise en Bibliographie). Ce nouveau texte sera repris par la suite dans toutes les éditions de la pièce.

Les deux versions se distinguent par un certain nombre de variantes textuelles (un peu plus d'une centaine) et, surtout, par un paratexte substantiellement différent[2] : le texte de 1643 était précédé d'un « Abrégé du martyre de saint Polyeucte », présentant de manière condensée la source hagiographique de la tragédie, ainsi que d'une épître dédicatoire adressée « A la Reine régente[3] » ; celui de 1660 figurait dans un volume au

---

1. L'écart entre la date du privilège et celle de la parution du livre outrepasse de beaucoup les usages de l'époque. On peut expliquer cette irrégularité par les complications et les retards occasionnés par la maladie, puis la mort, le 14 mai 1643, du roi Louis XIII, dédicataire originellement prévu de *Polyeucte*.   2. Il faut bien souligner cependant que, contrairement à ce qu'on lit souvent, *Polyeucte martyr* porte déjà dans l'édition originale le sous-titre de « tragédie chrétienne ».   3. Anne d'Autriche, qui venait d'accéder à la régence après la mort de Louis XIII en mai 1643. Elle a laissé la réputation d'une souveraine dévote, ce qui ne l'empêchait pas d'apprécier le théâtre — et peut-être d'avoir joué un rôle décisif dans la tentative d'établissement d'une « tragédie chrétienne » en France (voir, à ce sujet, Dossier, « Documents », p. 187). Le choix de la reine (et originellement du roi) indique bien l'importance que Corneille attribuait à sa tentative de tragédie chrétienne et le crédit que celle-ci avait reçu auprès de la

seuil duquel était placé un « Examen », appréciation critique de Corneille sur sa propre tragédie. Les deux
textes étaient accompagnés d'une gravure de frontispice
représentant le même motif (voir la reproduction de la
gravure de 1643, p. 106).

Le texte que nous présentons a été établi sur la base
de l'édition du *Théâtre* publiée en 1682 (dernière édition
parue du vivant de l'auteur, revue et corrigée par lui),
plus précisément à partir de l'exemplaire BN Rés Yf
3001[1]. Ce choix éditorial s'est voulu conforme aux pratiques de nos prédécesseurs. Dans le même souci de ne
pas déroger aux usages établis, nous avons placé en pré-
liminaire au texte de la tragédie l'« Abrégé » de 1643,
suivi de l'« Examen » de 1660. Nous avons renoncé, en
revanche, à faire figurer ici l'épître dédicatoire, texte
composé essentiellement, comme le veut la coutume,
d'éloges adressés au dédicataire de l'œuvre. De même
nous n'avons pas jugé nécessaire de procurer une liste
des variantes textuelles, provenant, dans leur très grande
majorité, de simples retouches stylistiques nécessitées
par l'évolution de la langue entre 1643 et 1660[2]. Certaines d'entre elles seront toutefois signalées, en notes
de bas de page, lorsqu'elles présentent un intérêt sur le
plan de l'évolution des idées politiques ou théologiques
exprimées par les personnages de Corneille.

La graphie a été conformée à l'usage actuel. La ponc-
tuation, en revanche, reproduit celle de l'édition de
base, à quelques rares occurrences près, où ce principe
aurait occasionné des difficultés de déchiffrement pour
le lecteur contemporain.

Nous avons par ailleurs jugé opportun de signaler par
un astérisque les mots qui comportent des diérèses, élément fondamental de la prosodie de l'alexandrin.

Les éclaircissements lexicaux sont en principe donnés
en notes, en dépit du caractère répétitif que peut revêtir

---

plus haute autorité du royaume : en effet, la dédicace d'une pièce de théâtre
ne peut être présentée qu'après négociation préalable avec son destinataire.
1. *Polyeucte martyr* figure au tome II, p. 207-280. L'édition est disponible
sur le site Internet Gallica (http://:gallica.bnf.fr) de la Bibliothèque nationale
de France. **2.** Pour les lecteurs qui souhaiteraient acccéder au texte de
l'édition originale, signalons qu'il figure également, dans une version
numérisée en mode image, sur le site Gallica.

un tel procédé. Les renvois ne sont pratiqués que lorsque nous souhaitons attirer l'attention sur les rapports entre les diverses occurrences d'un terme.

Les références scripturaires sont tirées de la Bible dite de Port-Royal (traduction de Louis-Isaac Lemaître de Sacy, p. p. Ph. Sellier, Paris, Robert Laffont, 1990).

Polyeucte martyr

POLYEVCTE

MARTYR·

TRAGEDIE·

A PARIS,

Antoine de Sommaville, en
la Gallerie des Merciers, à l'Escu
de France.

Chez   &   Au Palais.

Avgvstin Covrbe', en la mesme
Gallerie, à la Palme.

M. DC. XLIII.
AVEC PRIVILEGE DV ROY.

Page de titre de l'édition de 1643.

ABRÉGÉ DU MARTYRE
DE SAINT POLYEUCTE[1]

*Ecrit par Siméon Métaphraste[2]
et rapporté par Surius*

(1643)

L'ingénieuse tissure[3] des fictions avec la vérité, où
consiste le plus beau secret de la poésie[4], produit d'ordi-

---

1. Depuis la querelle du *Cid* (1636-1637), à l'occasion de laquelle on l'avait
accusé de plagiat, Corneille avait pris l'habitude d'exposer ses sources en
liminaire à la version publiée de sa pièce. Les tragédies de *Cinna, Polyeucte,
Pompée,* ou *Rodogune* seront ainsi précédées de textes latins ou parfois français, « pièces justificatives » destinées à permettre au lecteur de s'assurer de la
crédibilité du dramaturge. Pour l'histoire de Polyeucte, la source était le *De
probatis sanctorum historiis,* gigantesque recueil (six tomes *in folio*) de vies de
saints compilées entre 1570 et 1577 par le chartreux Laurentius Surius, et
complétées en 1582 par son confrère Mosander. Cette entreprise monumentale était destinée à fonder en science l'hagiographie catholique, mise à mal
par les contestations de la Réforme. Le texte que propose Corneille,
dans l'édition originale de 1643, sous le titre d'« Abrégé du martyre de
saint Polyeucte », n'est autre qu'un condensé de la version de Surius.
2. Siméon Métaphraste est un écrivain byzantin du IXᵉ siècle, qui avait ras-
semblé une série de cent quarante-huit vies de saints.   **3.** Mélange serré et
maîtrisé (comme celui qui compose un textile).   **4.** Au sens de « création
littéraire » (dans le cas présent, en fait, la réflexion de Corneille se limite aux
œuvres de fiction narrative et dramatique). Le principe énoncé ici est le socle
sur lequel repose toute la pensée théorique de Corneille : c'est le savant
dosage d'éléments vrais et d'élément inventés qui permet de donner à l'œuvre
sa capacité d'emporter l'adhésion du spectateur par la croyance et, par conséquent, de produire les effets recherchés. Pour les détails complexes de la
pensée cornélienne sur cette matière, on se reportera au « Discours de la

naire deux sortes d'effets, selon la diversité des esprits qui la voient. Les uns se laissent si bien persuader à[1] cet enchaînement[2], qu'aussitôt qu'ils ont remarqué quelques événements véritables, ils s'imaginent la même chose des motifs qui les font naître, et des circonstances qui les accompagnent ; les autres, mieux avertis de notre artifice, soupçonnent de fausseté tout ce qui n'est pas de leur connaissance, si bien que quand nous traitons quelque histoire écartée dont ils ne trouvent rien dans leur souvenir, ils l'attribuent tout entière à l'effort de notre imagination, et la prennent pour une aventure de roman.

L'un et l'autre de ces effets serait dangereux en cette rencontre[3], il y va de la gloire de Dieu, qui se plaît dans celle de ses saints, dont la mort si précieuse devant ses yeux ne doit pas passer pour fabuleuse[4] devant ceux des hommes. Au lieu de sanctifier notre théâtre par sa représentation, nous y profanerions la sainteté de leurs souffrances, si nous permettions que la crédulité des uns, et la défiance des autres également abusées par ce mélange, se méprissent également en la vénération qui leur est due, et que les premiers la rendissent mal à propos à ceux qui ne la méritent pas, cependant que les autres la dénieraient à ceux à qui elle appartient.

Saint Polyeucte est un martyr dont (s'il m'est permis de parler ainsi) beaucoup ont plutôt appris le nom à la comédie[5] qu'à l'Eglise. Le *Martyrologe romain*[6] en fait mention sur le 13 de février, mais en deux mots, suivant sa coutume ; Baronius dans ses *Annales*[7] n'en dit qu'une

---

tragédie » (dans *Pierre Corneille. Trois Discours sur le poème dramatique*, éd. B. Louvat-M. Escola, Paris, Garnier-Flammarion, 1999). **1.** Par. Emploi fréquent dans la langue de l'époque (voir Spillebout, *Grammaire de la langue française du XVIIe siècle*, Paris, Picard, 1985, p. 254). **2.** L'idée est celle d'un lien fort et étroit et non, comme dans la langue actuelle, d'une succession. **3.** Circonstance. **4.** Fictive. **5.** Le terme de « comédie » peut, à l'époque, désigner le théâtre, indépendamment du genre de la pièce. **6.** Un martyrologe est un catalogue des saints classés suivant le calendrier des fêtes liturgiques. Le *Martyrologe romain* est le martyrologe officiel de l'Eglise à l'époque de Corneille. Il avait été publié pour la première fois en 1586 par Baronius, l'auteur des *Annales ecclesiastici* (voir note suivante). **7.** Le cardinal César Baronius s'était fait l'auteur d'une chronologie minutieuse de l'histoire de l'Eglise d'une qualité documentaire encore inconnue jusqu'alors, les *Annales ecclesiastici*

ligne, le seul Surius ou plutôt Mosander qui l'a aug-
menté dans les dernières impressions, en rapporte la
mort assez au long sur le 9 de janvier ; et j'ai cru qu'il
était de mon devoir d'en mettre ici l'abrégé. Comme il
a été à propos d'en rendre la représentation agréable,
afin que le plaisir pût insinuer plus doucement l'utilité,
et lui servir comme de véhicule pour la porter dans l'âme
du peuple[1], il est juste aussi de lui donner cette lumière
pour démêler la vérité d'avec ses ornements, et lui faire
reconnaître ce qui lui doit imprimer du respect comme
saint, et ce qui le doit seulement divertir comme indus-
trieux[2]. Voici donc ce que ce dernier nous apprend.

   Polyeucte et Néarque étaient deux cavaliers[3] étroite-
ment liés ensemble d'amitié. Ils vivaient en l'an 250 sous
l'empire de Décius ; leur demeure était dans Mélitène
capitale d'Arménie, leur religion différente : Néarque
étant chrétien, et Polyeucte suivant encore la secte des
gentils[4], mais ayant toutes les qualités dignes d'un chrétien, et une grande inclination à le devenir. L'empereur
ayant fait publier un édit très rigoureux contre les chrétiens, cette publication donna un grand trouble à
Néarque, non pour la crainte des supplices dont il était
menacé, mais pour l'appréhension qu'il eut que leur
amitié ne souffrît quelque séparation ou refroidissement
par cet édit, vu les peines qui y étaient proposées à ceux
de sa religion, et les honneurs promis à ceux du parti
contraire. Il en conçut un si profond déplaisir[5], que son
ami s'en aperçut, et l'ayant obligé de lui en dire la cause,

(1559-1574, treize volumes). Cette œuvre monumentale était devenue une
référence, en particulier en ce qui concerne l'Eglise des premiers temps.
1. En prétendant que le spectacle doit procurer à la fois plaisir et utilité,
Corneille se conforme à un principe universellement admis par ses contemporains, et dont l'origine remonte au moins à *L'Art poétique* d'Horace
(Iᵉʳ siècle av. J.-C.). Il infléchit toutefois cette position en affirmant que le
plaisir est prioritaire (voir « Discours de l'utilité et des parties », dans *Trois
discours sur le poème dramatique, op. cit.*, p. 65-66).   **2.** Ingénieux.
3. « Gentilhomme qui porte l'épée et qui est habillé en homme de guerre »
(A. Furetière, *Dictionnaire universel*, 1690).   **4.** C'est le terme par lequel
les chrétiens des premiers temps désignaient les païens. Le terme provient
de la Bible (*gentiles* dans le latin de la Vulgate), où il traduit un mot qui
servait aux Hébreux à désigner les autres peuples.   **5.** Sens plus fort que
le sens actuel. Furetière donne comme exemple : « Ce père a eu le déplaisir
de voir mourir tous ses enfants avant lui. »

il prit de là occasion de lui ouvrir son cœur : « Ne craignez point, lui dit-il, que l'édit de l'empereur nous désunisse, j'ai vu cette nuit le Christ que vous adorez, il m'a dépouillé d'une robe sale pour me revêtir d'une autre toute lumineuse, et m'a fait monter sur un cheval ailé pour le suivre. Cette vision m'a résolu entièrement à faire ce qu'il y a longtemps que je médite, le seul nom de chrétien me manque, et vous-même, toutes les fois que vous m'avez parlé de votre grand Messie, vous avez pu remarquer que je vous ai toujours écouté avec respect, et quand vous m'avez lu sa vie et ses enseignements, j'ai toujours admiré la sainteté de ses actions et de ses discours. O Néarque, si je ne me croyais pas indigne d'aller à lui sans être initié de ses mystères, et avoir reçu la grâce de ses sacrements, que vous verriez éclater[1] l'ardeur que j'ai de mourir pour sa gloire et le soutien de ses éternelles vérités ! » Néarque l'ayant éclairci sur l'illusion du scrupule où il était par l'exemple du bon larron, qui en un moment mérita le ciel, bien qu'il n'eût pas reçu le baptême[2], aussitôt notre martyr plein d'une sainte ferveur, prend l'édit de l'empereur, crache dessus et le déchire en morceaux qu'il jette au vent, et voyant des idoles que le peuple portait sur les autels pour les adorer, il les arrache à ceux qui les portaient, les brise contre terre, et les foule aux pieds, étonnant tout le monde, et son ami même, par la chaleur de ce zèle qu'il n'avait pas espéré.

Son beau-père Félix qui avait la commission[3] de l'empereur pour persécuter les chrétiens, ayant vu lui-même ce qu'avait fait son gendre, saisi de douleur de voir l'espoir et l'appui de sa famille perdus, tâche d'ébranler sa constance[4], premièrement par de belles paroles[5], ensuite par des menaces, enfin par des coups qu'il lui

---

1. Apparaître ouvertement.   2. *Evangile selon saint Luc* 23, 39-43.
3. Charge.   4. Fermeté d'âme.   5. « — Si tu voulais bien, Polyeucte, vivre encore quelque temps, jusqu'à ce que tu voies ton épouse... — Une épouse ? dit le saint, quel besoin ai-je d'une épouse et d'enfants, moi qui n'ai plus aucun souci des choses humaines ? mon esprit est tourné vers les seules réalités célestes, là où la mort n'arrive jamais plus. Ta fille, si elle veut me suivre, sera bienheureuse par l'Esprit saint et l'Institution de l'Eglise ; mais sinon, elle aussi périra dans le mal en même temps que vos dieux », Surius (nous traduisons).

fait donner par ses bourreaux sur tout le visage ; mais
n'en ayant pu venir à bout, pour dernier effort[1] il lui
envoie sa fille Pauline, afin de voir si ses larmes n'auraient point plus de pouvoir sur l'esprit d'un mari, que
n'avaient eu ses artifices et ses rigueurs[2]. Il n'avance rien
davantage par là, au contraire, voyant que sa fermeté
convertissait beaucoup de païens, il le condamne à
perdre la tête. Cet arrêt fut exécuté sur l'heure, et le
saint martyr, sans autre baptême que de son sang[3], s'en
alla prendre possession de la gloire que Dieu a promise
à ceux qui renonceraient à eux-mêmes pour l'amour de
lui.

Voilà en peu de mots ce qu'en dit Surius. Le songe
de Pauline, l'amour de Sévère, le baptême effectif de
Polyeucte, le sacrifice pour la victoire de l'empereur, la
dignité de Félix que je fais gouverneur d'Arménie, la
mort de Néarque, la conversion de Félix et de Pauline,
sont des inventions et des embellissements de théâtre[4].

---

1. Assaut.   2. « Polyeucte ne se souciait guère de ses plaies ; c'est qu'il
avait à lutter contre une autre ruse du Malin. En effet, ce dernier, qui avait
amené auprès de lui son beau-père et son épouse, tous deux pleurant et se
lamentant pitoyablement, s'efforçait de séduire son âme par des illusions
et d'ébranler sa fermeté. Polyeucte n'était pas dupe des pièges du Malin.
Après un salutaire ébranlement, il rassembla sa colère et son courage, il les
opposa à la mollesse efféminée de leurs larmes, et il dit avec aplomb et
courage : "O scélérat, zélateur des idoles impies, pourquoi cherches-tu, par
tes larmes et par celles de mon épouse, à me détourner de la foi chrétienne ?
Pourquoi pleures-tu Polyeucte, alors que c'est bien plutôt toi-même que
tu devrais plaindre et pleurer : ayant servi les puissants de ce monde fini,
tu seras jeté dans un feu éternel !" Voilà ce qu'il dit à son beau-père. Il vit
ensuite son épouse ; elle pleurait misérablement et lui disait : "Que t'arrive-
t-il, Polyeucte ? Comment en es-tu venu au crime de mettre en pièces
douze de nos dieux ?" Polyeucte lui répondit, avec une ironie affectueuse :
"Si à moi seul j'ai vaincu douze de tes dieux, on ne peut pas dire que tu
manques de divinités à adorer ! Suis-moi, Pauline, et je te ferai connaître
le vrai Dieu ; veille à l'adorer avec zèle et à transformer cette brève vie
en une vie éternelle" », Surius (nous traduisons).   3. Du point de vue
théologique, le martyre peut équivaloir au baptême : on parle alors de baptême du sang.   4. Sur l'importance de ces « embellissements » et la
manière dont ils sont intégrés à l'action, voir Dossier, « Commentaires »,
p. 172-179.

La seule victoire contre les Perses[1] a quelque fondement dans l'histoire, et sans chercher d'autres auteurs, elle est rapportée par M. Coëffeteau dans son *Histoire romaine*[2], mais il ne dit pas, ni qu'il leur imposa tribut, ni qu'il envoya faire des sacrifices de remerciement en Arménie.

Si j'ai ajouté ces incidents et ces particularités selon l'art[3] ou non, les savants en jugeront ; mon but ici n'est pas de les[4] justifier, mais seulement d'avertir le lecteur de ce qu'il en peut croire.

---

1. Les deux batailles successives remportées par Decius contre les Perses, grâce aux exploits de Sévère (récit d'Albin à la scène I, 4).   2. Parue en 1621, elle constituait l'ouvrage de vulgarisation par excellence sur la Rome impériale. Il y est effectivement mentionné, au Livre XVII, que Dèce « remporta une glorieuse victoire sur les Perses, et apaisa les tumultes qui s'étaient élevés en l'Orient ».
3. Nous dirions « dans les règles de l'art ». Corneille, comme à son habitude depuis la « querelle du *Cid* », établit une distinction entre le jugement spontané du public et celui des doctes, fondé sur la réflexion théorique.
4. Se rapporte à « incidents et particularités ».

EXAMEN[1]

(1660)

Ce martyre est rapporté par Surius[2] sur le neuvième de janvier. Polyeucte vivait en l'année 250, sous l'empereur Décius. Il était arménien, ami de Néarque, et gendre de Félix, qui avait la commission[3] de l'empereur pour faire exécuter ses édits contre les chrétiens. Cet ami l'ayant résolu à se faire chrétien, il déchira ces édits qu'on publiait, arracha les idoles des mains de ceux qui les portaient sur les autels pour les faire adorer, les brisa contre terre, résista aux larmes de sa femme Pauline, que Félix employa auprès de lui pour le ramener à leur culte, et perdit la vie par l'ordre de son beau-père, sans autre baptême que celui de son sang. Voilà ce que m'a prêté l'histoire ; le reste est de mon invention.

Pour donner plus de dignité à l'action[4], j'ai fait Félix

---

1. A partir de 1660, les éditions collectives du théâtre de Corneille sont organisées en trois tomes, présentés chacun de la même manière : un « Discours » théorique en début de volume, une série d'« Examens » des différentes pièces contenues dans le volume, puis le texte des pièces elles-mêmes. Dans ces « Examens » (une pratique dont il a l'exclusivité au xviie siècle), Corneille s'attache à formuler un jugement critique sur sa propre œuvre. Cette évaluation est réalisée sur la base des principes de dramaturgie développés précisément dans les trois « Discours » qui figurent chacun en tête d'un des volumes.   2. Sur Surius, voir la note 1, p. 39. 3. Charge.   4. Le terme désigne simplement « ce qui se passe sur scène ». La nécessité de la dignité (qui amène à « promouvoir » Félix à un rang supérieur à son rang historique) est directement issue de la définition aristotélicienne de la tragédie, qui veut que les personnages en soient de rang élevé.

gouverneur d'Arménie, et ai pratiqué un sacrifice public afin de rendre l'occasion plus illustre, et donner un prétexte à Sévère de venir en cette province, sans faire éclater[1] son amour, avant qu'il en eût l'aveu[2] de Pauline. Ceux qui veulent arrêter nos héros dans une médiocre[3] bonté, où quelques interprètes d'Aristote bornent leur vertu[4], ne trouveront pas ici leur compte, puisque celle de Polyeucte va jusqu'à la sainteté, et n'a aucun mélange de faiblesse. J'en ai déjà parlé ailleurs[5] ; et pour confirmer ce que j'en ai dit par quelques autorités, j'ajouterai ici que Minturnus, dans son *Traité du poète*[6], agite[7] cette question, *si la Passion de Jésus-Christ et les martyres des saints doivent être exclus du théâtre, à cause qu'ils passent cette médiocre bonté*, et résout[8] en ma faveur. Le célèbre Heinsius[9], qui non seulement a traduit la *Poétique* de notre philosophe, mais a fait un *Traité de la constitution de la tragédie* selon sa pensée, nous en a donné une sur

---

1. Manifester ouvertement. **2.** Approbation. **3.** Moyenne. **4.** Dans la *Poétique* d'Aristote et chez ses nombreux commentateurs à l'époque moderne, il est affirmé que le héros tragique doit être « un homme qui ne soit ni tout à fait bon, ni tout à fait méchant, et qui par une faute, ou faiblesse humaine, tombe dans un malheur qu'il ne mérite pas » (la formulation est de Corneille dans le « Discours de la tragédie », éd. Louvat-Escola, *op. cit.*, p. 98). **5.** Dans le « Discours de la tragédie », qui figure en tête de chaque édition du second volume du *Théâtre* de Corneille (celui dans lequel se trouve *Polyeucte*) après 1660 : « L'exclusion des personnes tout à fait vertueuses qui tombent dans le malheur bannit les martyrs de notre théâtre ; Polyeucte y a réussi contre cette maxime » (*op. cit.*, p. 100-101). **6.** Il s'agit d'un volumineux traité latin (*Antonii Sebastiani Minturni de Poeta*), paru à Venise en 1559, et qui ne compte pas parmi les ouvrages théoriques de référence à l'époque de Corneille (contrairement aux ouvrages de Heinsius et de Grotius mentionnés plus loin). Au Livre III, p. 182-183, Minturnus examine si la mort du Christ est un sujet de tragédie praticable, sans trancher la question : des arguments dans les deux sens sont invoqués. En tout cas, il n'est nulle part question de martyre, ni dans ce passage ni dans le reste du traité. La question soulevée par Minturnus porte plutôt sur la « violence au sein des alliances » que sur la vertu parfaite du héros. Il semble donc que Corneille se serve assez librement de cet ouvrage. **7.** Traite. **8.** Décide. **9.** Philosophe, théoricien littéraire, et poète néo-latin d'origine hollandaise, qui jouissait d'un prestige immense à l'époque de Corneille. Son traité *De tragœdiae constitutione* (1616) était la référence en matière de réflexion sur la tragédie.

le martyre des Innocents[1]. L'illustre Grotius[2] a mis su[r]
scène la Passion même de Jésus-Christ et l'histoire de
Joseph ; et le savant Buchanan[3] a fait la même chose de
celle de Jephté, et de la mort de saint Jean-Baptiste.
C'est sur ces exemples que j'ai hasardé ce poème[4], où
je me suis donné des licences qu'ils n'ont pas prises,
de changer l'histoire en quelque chose, et d'y mêler des
épisodes d'invention. Aussi[5] m'était-il plus permis sur
cette matière, qu'à eux sur celle qu'ils ont choisie. Nous
ne devons qu'une croyance pieuse à la vie des saints, et
nous avons le même droit sur ce que nous en tirons pour
le porter sur le théâtre, que sur ce que nous empruntons
des autres histoires[6]. Mais nous devons une foi chrétienne et indispensable à tout ce qui est dans la Bible,

———————

1. Il s'agit du massacre des enfants de Bethléem ordonné par Hérode afin
de tuer parmi eux le « roi des Juifs » dont les Rois mages lui avaient révélé
l'existence (Evangile selon saint Matthieu 2, 16). La tragédie latine d'Heinsius dont il est question s'appelle *Herodes infanticida* (1632). Toutefois son
évocation n'est pas pertinente dans la discussion sur le héros parfait enta-
mée plus haut : les Innocents n'y apparaissent pas ; c'est en fait la tragédie
du roi Hérode. Corneille a donc fait un curieux glissement dans son raisonnement : il est passé de la question du héros parfait (et des problèmes
qu'elle pose à l'égard du héros martyr) à la question du bien-fondé de la
tragédie à sujet religieux. De plus, Corneille est en train de justifier son
entreprise de tragédie de saint en français par l'existence de tragédies néo-
latines à sujet biblique. Et cela, alors qu'il existe plusieurs tentatives
contemporaines de réaliser une tragédie à sujet hagiographique en français
(voir, à ce sujet, Dossier, « Documents », p. 185-188), dont il ne peut ignorer l'existence.   2. Un des savants les plus célèbres du XVIIe siècle. Sa
contribution principale concerne le domaine du droit international, mais
Grotius était également réputé comme théoricien de la tragédie. Il était lui-
même l'auteur de tragédies en latin, dont celles auxquelles Corneille fait
référence : *Christus patiens* (1626) et *Sophompaneas* (1632).   3. L'humaniste Buchanan (1506-1582) était resté célèbre par ses deux tragédies
latines *Jephtes* (1554) et *Baptistes sive calumnia*. Le *Jephté* était mal considéré par les théoriciens de l'époque de Corneille (Chapelain, La Mesnardière), parce que Buchanan y avait modifié une donnée temporelle
contenue dans la Bible. Relevons que, parmi les pièces invoquées jusqu'ici
comme exemples, toutes sont rédigées en latin et aucune n'est destinée à
la scène publique (il s'agit de pièces de collège ou d'œuvres littéraires non
scéniques).   4. Le terme désigne toute œuvre littéraire composée en vers.
« Hasarder » : risquer.   5. Valeur explicative du terme. Comprendre : Il
faut dire qu'il m'était plus permis...   6. Par « autres histoires » Corneille
entend les narrations d'événements qui constituent ce que nous appelons
de nos jours l'« histoire ».

qui ne nous laisse aucune liberté d'y rien changer [1]. J'estime toutefois qu'il ne nous est pas défendu d'y ajouter quelque chose, pourvu qu'il [2] ne détruise rien de ces vérités dictées par le Saint-Esprit. Buchanan ni Grotius ne l'ont pas fait dans leurs poèmes, mais aussi ne les ont-ils pas rendus assez fournis pour notre théâtre, et ne s'y sont proposé pour exemple que la constitution la plus simple [3] des Anciens. Heinsius a plus osé qu'eux dans celui que j'ai nommé. Les anges qui bercent l'enfant Jésus, et l'ombre [4] de Marianne avec les furies qui agitent l'esprit d'Hérode, sont des agréments qu'il n'a pas trouvés dans l'Evangile [5]. Je crois même qu'on en peut supprimer quelque chose, quand il y a apparence qu'il [6] ne plairait pas sur le théâtre, pourvu qu'on ne mette rien en la place, car alors ce serait changer l'histoire, ce que

---

1. Par « changer », Corneille entend « supprimer quelque chose et le remplacer par quelque chose d'autre », et non pas seulement ajouter ou enlever. Les suppressions simples peuvent être tolérées, comme il le démontre plus loin à propos de David et Bethsabée. Le principe de l'intangibilité de la matière biblique est un principe unanimement partagé à l'époque : « Le texte de l'Ecriture, dont les moindres syllabes sont trop saintes pour souffrir aucun changement que le poète aurait droit de faire dans les histoires profanes » (Chapelain, *Sentiments de l'Académie sur « Le Cid »*, 1637 ; in *Opuscules critiques*, éd. A. C. Hunter, Droz, 1936, p. 170-171).   2. Le pronom « il » se rapporte à « quelque chose », bien qu'il soit de genre masculin. Sur cet usage, voir Spillebout, *op. cit.*, p. 111.   3. Ce que Corneille appelle pièce « simple » (à l'opposé de la pièce « implexe ») est une pièce dont le sujet se caractérise par un faible écart entre action (ce qui est représenté sur scène) et histoire (ce que la pièce raconte, donc également ce qui n'est pas représenté en scène, mais qui est connu par des récits). Une pièce de ce type nécessite peu de développements sur ce qui se passe à l'extérieur de l'univers scénique, et donc n'offre que peu d'occasions d'ajouts de péripéties représentées ou narrées en scène. Sur la notion de pièce simple, voir la synthèse de G. Forestier dans son *Essai de génétique théâtrale. Corneille à l'œuvre* (Klincksieck, 1996), p. 172-179.   4. Fantôme.   5. Corneille feint de ne pas savoir que ce dernier point, la présence d'éléments païens dans l'*Herodes infanticida* d'Heinsius, pièce chrétienne, avait déclenché une retentissante querelle dans les milieux savants européens. Le Français Guez de Balzac, qui avait mis en cause cette « bigarrure », s'était vu prendre à partie par le savant hollandais. Un long échange de lettres et de libelles avait suivi. L'enjeu principal était finalement la cohérence de l'univers fictif représenté dans l'œuvre littéraire. Sur cette querelle, voir Z. Youssef, *Polémique et littérature chez Guez de Balzac* (Paris, Nizet, 1972), p. 117-164.   6. Voir *supra* note 2.

le respect que nous devons à l'écriture ne permet point.
Si j'avais à y exposer celle de David et Bethsabée[1], je ne
décrirais pas comme il en devint amoureux en la voyant
se baigner dans une fontaine[2], de peur que l'image de
cette nudité ne fît une impression trop chatouilleuse[3]
dans l'esprit de l'auditeur ; mais je me contenterais de
le peindre avec de l'amour pour elle, sans parler aucunement de quelle manière cet amour se serait emparé de
son cœur.

Je reviens à *Polyeucte*, dont le succès a été très heureux. Le style n'en est pas si fort ni si majestueux que
celui de *Cinna* et de *Pompée*[4] ; mais il a quelque chose
de plus touchant[5], et les tendresses de l'amour humain
y font un si agréable mélange avec la fermeté du divin,
que sa représentation satisfait tout ensemble les dévots

---

1. Corneille, comme la plupart des auteurs du XVIIᵉ siècle, écrit « Bersa-
bée ». L'histoire de la faute du roi David qui, tombé amoureux de Bethsabée qu'il avait vue se baigner nue à proximité de son palais, en fait sa
maîtresse, puis l'épouse après avoir fait envoyer au front son mari Urie
(2 Samuel, 1-27), était bien connue des contemporains. Elle avait été traitée entre autres dans *La Cour sainte* (1624) du père Caussin. Corneille
l'évoquera à nouveau dans un emblème accompagnant sa traduction de
L'Imitation de Jésus-Christ (I, 6). Notons que l'auteur de *Polyeucte* et de
Théodore n'a jamais réalisé de pièce à sujet biblique, malgré l'existence de
plusieurs tentatives à son époque. C'est la seule occasion où il se prononce
sur une telle matière.   **2.** Étendue d'eau provenant directement d'une
source.   **3.** « On dit qu'une affaire, qu'une question est bien chatouilleuse pour dire qu'il faut la traiter avec grande circonspection » (*Dictionnaire de l'Académie*, 1694). Quand Corneille publie cet Examen, en 1660,
le théâtre français ne tolère plus les appels à la sensualité du spectateur.
Pour des raisons de décence, toute évocation, même simplement verbale,
de la nudité, doit être supprimée.   **4.** *Cinna ou la Clémence d'Auguste* et
La Mort de Pompée ont été jouées respectivement quelques mois avant et
quelques mois après *Polyeucte martyr*. « Pour le style, il est plus élevé en ce
poème qu'en aucun des miens, et ce sont sans contredit les vers les plus
pompeux que j'aie faits » (Examen de *La Mort de Pompée*, *op. cit.*, t. I,
p. 1077).   **5.** La notion de « style », dans l'esprit de Corneille et de ses
contemporains, est plus large que la nôtre. On considère à l'époque, suivant en cela la tradition rhétorique, que la formulation verbale n'est qu'un
habillage de la matière de l'œuvre. Le terme de « style », par conséquent, est
utilisé simplement pour désigner une caractérisation de cette formulation
verbale au sens large. Un « style » sera majestueux, s'il fait abondamment
appel aux grands sentiments tels que la gloire ; il sera « touchant », si les
personnages recourent beaucoup au langage amoureux.

et les gens du monde. A mon gré je n'ai point fait de pièce où l'ordre du théâtre [1] soit plus beau, et l'enchaînement des scènes mieux ménagé. L'unité d'action et celles de jour et de lieu ont leur justesse [2], et les scrupules qui peuvent naître touchant ces deux dernières se dissiperont aisément, pour peu qu'on me veuille prêter de cette faveur, que l'auditeur nous doit toujours, quand l'occasion s'en offre, en reconnaissance de la peine que nous avons prise à le divertir.

Il est hors de doute que si nous appliquons ce poème à nos coutumes, le sacrifice se fait trop tôt après la venue de Sévère, et cette précipitation sortira du vraisemblable par la nécessité d'obéir à la règle. Quand le roi envoie ses ordres dans les villes, pour y faire rendre des actions de grâce [3] pour ses victoires, ou pour d'autres bénédictions qu'il reçoit du Ciel, on ne les exécute pas dès le jour même ; mais aussi faut-il du temps pour assembler le clergé, les magistrats, et les corps de ville [4], et c'est ce qui en fait différer l'exécution. Nos acteurs n'avaient ici aucune de ces assemblées à faire.

Il suffisait de la présence de Sévère et de Félix, et du ministère du grand prêtre, et ainsi nous n'avons eu aucun besoin de remettre ce sacrifice en un autre jour. D'ailleurs comme Félix craignait ce favori, qu'il croyait irrité du mariage de sa fille, il était bien aise de lui donner le moins d'occasion de tarder qu'il lui était possible, et tâcher durant son peu de séjour à gagner son esprit par une prompte complaisance, et montrer tout ensemble une impatience d'obéir aux volontés de l'empereur.

L'autre scrupule regarde l'unité de lieu, qui est assez exacte puisque tout s'y passe dans une salle ou anti-

---

1. Par « ordre du théâtre » il faut comprendre l'agencement des scènes et les effets que celui-ci ménage (suspens, coups de théâtre, « scènes à faire », etc.). Voir, à ce sujet, Dossier, « Commentaires », p. 172-179. **2.** Sont conformes à la règle. La pièce, en effet, se déroule en un seul lieu (le palais du gouverneur), durant moins de vingt-quatre heures, moyennant quelques artifices mineurs, dont Corneille se justifie ci-dessous. **3.** Cérémonie de remerciement à Dieu pour un bienfait reçu (donc l'équivalent, *mutatis mutandis*, du sacrifice ordonné par Sévère). **4.** « Officiers de la ville qui sont le prévôt des marchands, les échevins et les conseillers de ville, et le procureur du roi » (Furetière).

bienséance

chambre commune aux appartements de Félix et de sa
fille. Il semble que la bienséance y soit un peu forcée
pour conserver cette unité au second acte, en ce que
Pauline vient jusque dans cette antichambre pour trouver Sévère, dont elle devrait attendre la visite dans son
cabinet[1]. A quoi je réponds qu'elle a eu deux raisons de
venir au-devant de lui. L'une, pour faire plus d'honneur
à un homme dont son père redoutait l'indignation, et
qu'il lui avait commandé d'adoucir en sa faveur ; l'autre,
pour rompre plus aisément la conversation avec lui, en
se retirant dans son cabinet, s'il ne voulait pas la quitter
à sa prière, et se délivrer par cette retraite d'un entretien
dangereux pour elle ; ce qu'elle n'eût pu faire, si elle eût
reçu sa visite dans son appartement.

Sa confidence avec Stratonice, touchant l'amour
qu'elle avait eu pour ce cavalier, me fait faire une réflexion
sur le temps qu'elle prend pour cela. Il s'en fait beaucoup sur nos théâtres, d'affections qui ont déjà duré
deux ou trois ans, dont on attend à révéler le secret justement au jour de l'action qui se présente, et non seulement sans aucune raison de choisir ce jour-là plutôt
qu'un autre pour le déclarer, mais lors même que vraisemblablement on s'en est dû[2] ouvrir beaucoup auparavant avec la personne à qui on en fait confidence. Ce
sont choses dont il faut instruire le spectateur en les faisant apprendre par un des acteurs à l'autre, mais il faut
prendre garde avec soin que celui à qui on les apprend
ait eu lieu de les ignorer jusque-là aussi bien que le spectateur, et que quelque occasion tirée du sujet oblige celui
qui les récite à rompre enfin un silence qu'il a gardé
si longtemps. L'Infante dans *Le Cid* avoue à Léonor

---

1. Lieu destiné au travail et à la conversation, mais qui fait partie des
appartements privés. L'étiquette (ici critère de la bienséance) voudrait que
Pauline n'aille pas à la rencontre de Sévère dans l'antichambre, mais le
fasse introduire, après un moment d'attente, dans son cabinet.   2. Nous
dirions « on aurait dû s'en ouvrir ». Le passé composé de l'indicatif a ici
une valeur d'éventualité, conformément à un usage répandu dans la langue
de l'époque (voir Spillebout, *op. cit.*, p. 225-226). De même pour le place-
ment du pronom réflexif devant l'auxiliaire (et le recours au verbe « être »
qu'il entraîne ; voir Spillebout, *op. cit.*, p. 407).

l'amour secret qu'elle a pour lui[1], et l'aurait pu faire un an ou six mois plus tôt[2]. Cléopâtre dans *Pompée* ne prend pas des mesures plus justes avec Charmion. Elle lui conte la passion de César pour elle, et comme

> *Chaque jour ses courriers*
> *Lui portent en tribut ses vœux et ses lauriers*[3].

Cependant, comme il ne paraît personne avec qui elle ait plus d'ouverture de cœur qu'avec cette Charmion, il y a grande apparence que c'était elle-même dont cette reine se servait pour introduire ces courriers, et qu'ainsi elle devait savoir déjà tout ce commerce entre César et sa maîtresse. Du moins il fallait marquer quelque raison qui lui eût laissé ignorer jusque-là tout ce qu'elle lui apprend, et de quel autre ministère[4] cette princesse s'était servie pour recevoir ces courriers. Il n'en va pas de même ici. Pauline ne s'ouvre avec Stratonice que pour lui faire entendre ce songe qui la trouble, et les sujets qu'elle a de s'en alarmer ; et comme elle n'a fait ce songe que la nuit d'auparavant, et qu'elle ne lui eût jamais révélé son secret sans cette occasion qui l'y oblige, on peut dire qu'elle n'a point eu lieu de lui faire cette confidence plus tôt qu'elle ne l'a faite[5].

Je n'ai point fait de narration de la mort de Polyeucte[6], parce que je n'avais personne pour la faire, ni pour l'écouter, que des païens qui ne la pouvaient ni écouter ni faire, que comme ils avaient fait et écouté celle de Néarque ; ce qui aurait été une répétition et marque de stérilité, et en outre n'aurait pas répondu à la dignité de l'action principale, qui est terminée par là. Ainsi j'ai mieux aimé la faire connaître par un saint emportement de Pauline que cette mort a convertie, que par un récit qui n'eût point eu de grâce dans une bouche indigne de la prononcer. Félix son père se convertit après elle, et ces deux conversions, quoique miraculeuses, sont si

---

1. C'est-à-dire pour Rodrigue, le Cid.   2. *Le Cid*, acte I, scène 3 de l'édition de 1637.   3. *La Mort de Pompée*, acte II, scène 1, v. 391-392.
4. Moyen, expédient.   5. Pour quelques indications sur la fonction du songe dans l'exposition, voir Dossier, « Commentaires », p. 174-175.
6. Il est d'usage, dans les tragédies à martyre, qu'on fasse un récit des supplices et de la mort du saint. C'est ce que fera encore Rotrou en 1646 dans *Le Véritable Saint Genest* (v. 1717-1742).

ordinaires dans les martyres, qu'elles ne sortent point
de la vraisemblance[1], parce qu'elles ne sont pas de ces
événements rares et singuliers qu'on ne peut tirer en
exemple, et elles servent à remettre le calme dans les
esprits de Félix, de Sévère et de Pauline, que sans cela
j'aurais eu bien de la peine à retirer du théâtre dans un
état qui rendît la pièce complète, en ne laissant rien à
souhaiter à la curiosité de l'auditeur[2].

---

1. Dans les récits de martyres et, partant, dans les œuvres dramatiques qui
en sont issues, il est fréquent que les persécuteurs païens, troublés par le
courage de leurs victimes, se convertissent. Ces conversions sont clairement
des miracles. Mais elles ne sont pas incompatibles avec la notion de vraisemblance, telle que la conçoit Corneille. Voir, à ce sujet, Dossier, « Commentaires », p. 177-178.   2. Ce principe est formulé et explicité par
Corneille dans son « Discours de l'utilité et des parties du poème dramatique » (*op. cit.*, p. 73-76).

Acteurs[1]

FÉLIX, *sénateur romain, gouverneur d'Arménie.*

POLYEUCTE, *seigneur arménien, gendre de Félix.*

SÉVÈRE, *chevalier*[2] *romain, favori de l'empereur Décie*[3].

NÉARQUE, *seigneur arménien, ami de Polyeucte.*

PAULINE, *fille de Félix, et femme de Polyeucte.*

STRATONICE, *confidente de Pauline.*

ALBIN, *confident de Félix.*

FABIAN, *domestique*[4] *de Sévère.*

CLÉON, *domestique de Félix.*

Trois gardes.

La scène est à Mélitène[5] capitale d'Arménie, dans le palais de Félix.

---

1. Le terme « acteurs », au XVIIᵉ siècle, sert également à désigner les personnages d'une pièce de théâtre. **2.** « Chevalier romain était le second degré de noblesse parmi les Romains, qui suivait celui des sénateurs » (Furetière). **3.** L'empereur Decius, nommé par Corneille Décie (en français, il est généralement dénommé Dèce), a régné de 249 à 251. Il a conservé la réputation d'un persécuteur des chrétiens particulièrement acharné. **4.** Personne attachée à la maison d'un grand seigneur et y occupant des fonctions d'une certaine importance (et non pas, comme dans la langue actuelle, employé de maison). **5.** Mélitène (de nos jours Malatya) était la capitale de la province romaine d'Arménie (*Armenia minor*), située à l'est de la Turquie moderne, et qu'il ne faut pas confondre avec le royaume d'Arménie, alors indépendant, qui occupait les territoires actuels de l'Arménie et du Kurdistan. L'Arménie romaine, au centre de l'Asie Mineure, s'est avérée une région stratégique pour la naissance et l'essor du christianisme.

ACTE I

Scène 1

POLYEUCTE, NÉARQUE

NÉARQUE

Quoi ? vous vous arrêtez aux songes d'une femme[1] !
De si faibles sujets troublent cette grande âme !
Et ce cœur tant de fois dans la guerre éprouvé
S'alarme d'un péril qu'une femme a rêvé !

POLYEUCTE

5 Je sais ce qu'est un songe, et le peu de croyance
Qu'un homme doit donner à son extravagance,
Qui d'un amas confus des vapeurs de la nuit
Forme de vains objets que le réveil détruit[2].
Mais vous ne savez pas ce que c'est qu'une femme,
10 Vous ignorez quels droits elle a sur toute l'âme,

---

1. La tragédie débute par une conversation évoquant un songe prémonitoire, dont le récit ne sera donné qu'à la scène I, 3. Sur le rôle de ce songe dans l'exposition, voir Dossier, « Commentaires », p. 174-175.   2. Suivant les conceptions de la médecine du XVIIᵉ siècle, les songes sont provoqués par les « vapeurs » (« fumées qui s'élèvent de l'estomac et du bas ventre vers le cerveau », *Dictionnaire de l'Académie*, 1694). Selon la quantité ou les qualités de ces vapeurs, les songes seront sereins ou cauchemardesques. L'explication des songes par des raisons physiologiques met directement en cause la pertinence de leur interprétation divinatoire — idée commune qu'on retrouve dans d'autres tragédies (Mairet, *La Sophonisbe*, v. 452-456 ; Tristan L'Hermite, *La Mariane*, v. 47-74) et chez des penseurs contemporains (voir La Mothe Le Vayer, « Du sommeil et des songes » dans *Opuscules ou petits traités*, 1643). « Vains » : « Se dit aussi de ce qui n'est qu'en apparence, qui trompe les yeux, qui est chimérique » (Furetière).

Quand après un long temps qu'elle a su nous charmer
Les flambeaux de l'hymen viennent de s'allumer [1].
Pauline sans raison dans la douleur plongée
Craint, et croit déjà voir ma mort qu'elle a songée,
15 Elle oppose ses pleurs au dessein que je fais,
Et tâche à m'empêcher de sortir du palais ;
Je méprise sa crainte, et je cède à ses larmes,
Elle me fait pitié sans me donner d'alarmes,
Et mon cœur attendri, sans être intimidé
20 N'ose déplaire aux yeux dont il est possédé.
L'occasion *, Néarque, est-elle si pressante,
Qu'il faille être insensible aux soupirs d'une amante ?
Par un peu de remise épargnons son ennui [2],
Pour faire en plein repos [3] ce qu'il trouble aujourd'hui.

NÉARQUE

25 Avez-vous cependant une pleine assurance
D'avoir assez de vie ou de persévérance [4],
Et Dieu qui tient votre âme et vos jours dans sa main [5],
Promet-il à vos vœux de le pouvoir demain ?
Il est toujours tout juste, et tout bon, mais sa grâce
30 Ne descend pas toujours avec même efficace.
Après certains moments que perdent nos longueurs
Elle quitte ces traits qui pénètrent les cœurs,
Le nôtre s'endurcit, la repousse, l'égare,
Le bras qui la versait en devient plus avare,
35 Et cette sainte ardeur qui doit porter au bien

---

1. Comprendre : Le mariage est tout récent. Les flambeaux sont les torches nuptiales qui, dans la cérémonie romaine, accompagnent le cortège qui amène les mariés à leur domicile.   2. Chagrin, angoisse. Sens plus fort que le sens actuel. « Remise » : délai.   3. Tranquillité.   4. « Vertu chrétienne qui donne la force de se maintenir dans la voie du salut » (Furetière). Terme issu du vocabulaire religieux.   5. Omniprésente dans l'Ancien Testament, la métaphore de la *main de Dieu* désigne sa toute-puissance. Voir, parmi beaucoup d'autres exemples, le psaume 30, 6 : « Je recommande et remets *mon âme entre vos mains* ; vous m'avez déjà racheté, Seigneur, Dieu de vérité » ; le Livre des Proverbes 21, 1 : « Le cœur du roi est *dans la main du Seigneur* comme une eau courante » ; le Livre de l'Ecclésiaste 9, 1 : « Il y a des justes et des sages, et leurs œuvres sont *dans la main de Dieu*. »

Tombe plus rarement, ou n'opère plus rien[1].
Celle qui vous pressait de courir au baptême,
Languissante déjà, cesse d'être la même,
Et pour quelques soupirs qu'on vous a fait ouïr,
40 Sa flamme se dissipe, et va s'évanouir.

POLYEUCTE

Vous me connaissez mal, la même ardeur me brûle,
Et le désir s'accroît quand l'effet se recule.
Ces pleurs que je regarde avec un œil d'époux
Me laissent dans le cœur aussi chrétien que vous ;
45 Mais pour en recevoir le sacré caractère
Qui lave nos forfaits dans une eau salutaire,
Et qui purgeant notre âme, et dessillant nos yeux
Nous rend le premier droit que nous avions aux
                                                    [cieux[2],
Bien que je le préfère aux grandeurs d'un empire,
50 Comme le bien suprême, et le seul où j'aspire,

---

1. Les idées énoncées aux v. 31-36 sur les fluctuations de la grâce étaient
familières aux contemporains de Corneille. Elles étaient amplement déve-
loppées, entre autres, dans *L'Imitation de Jésus-Christ* (voir note 3, p. 15),
texte que Corneille lui-même traduira en 1651. Ainsi : « A peine notre cœur
forme une bonne envie, / Qu'aussitôt nous la dépouillons ; / La langueur
dont nous travaillons / Nous lasse même de la vie. / C'est peu de laisser
assoupir / La ferveur du plus saint désir, / Par notre lâcheté nous la laissons
éteindre (I, 18, v. 1328-1334 ; voir également III, 55 : « De la corruption
de la nature et de l'efficace de la grâce » et II, 8, v. 812-820). Sur la notion
de grâce, voir Dossier, la notice qui lui est consacrée, p. 203-205.
2. Les v. 45-48 désignent, par une longue périphrase, le baptême. Par l'im-
mersion dans l'« eau salutaire », symbole de la mort du Christ, le nouveau
chrétien est « lavé » de ses péchés, et entre dans la communauté de l'Eglise.
L'accent est mis ici sur la dimension purificatrice du baptême, ce qui
semble correspondre assez bien aux priorités de la doctrine du Concile
de Trente. Le Catéchisme romain définit en effet le baptême comme une
purification (*ablutio*) et une illumination (*Catéchisme du Concile de Trente*,
1560, seconde partie, ch. II, § 1). Sur le *caractère* (v. 45) du baptême, voir
la notice « Baptême », p. 202-203. Le verbe « dessiller », au sens de libérer
d'un aveuglement, sera significativement repris par Pauline au v. 1726. En
filigrane de ce choix lexical, on peut songer à la conversion de saint Paul,
auquel Ananias rend la vue en lui conférant le baptême (Actes des Apôtres
9, 17-18).

Je crois, pour satisfaire un juste et saint amour
Pouvoir un peu remettre [1], et différer d'un jour.

NÉARQUE

Ainsi du genre humain l'ennemi vous abuse [2],
Ce qu'il ne peut de force, il l'entreprend de ruse.
55 Jaloux des bons desseins qu'il tâche d'ébranler,
Quand il ne les peut rompre, il pousse à reculer :
D'obstacle sur obstacle il va troubler le vôtre,
Aujourd'hui par des pleurs, chaque jour par quelque
Et ce songe rempli de noires visions *   [autre.
60 N'est que le coup d'essai de ses illusions *.
Il met tout en usage, et prière, et menace,
Il attaque toujours, et jamais ne se lasse,
Il croit pouvoir enfin ce qu'encore il n'a pu,
Et que ce qu'on diffère est à demi rompu.
65 Rompez ses premiers coups, laissez pleurer Pauline,
Dieu ne veut point d'un cœur où le monde domine,
Qui regarde en arrière, et douteux [3] en son choix,
Lorsque sa voix l'appelle, écoute une autre voix.

POLYEUCTE

Pour se donner à lui faut-il n'aimer personne [4] ?

NÉARQUE

70 Nous pouvons tout aimer, il le souffre [5], il l'ordonne,

---

1. Renvoyer à plus tard.   2. Trompe. « Ennemi » : le terme désigne l'esprit malin, c'est-à-dire le diable. Voir Introduction, p. 26-27. La dénonciation de la stratégie de l'« ennemi », qui « pousse à reculer » (v. 56), est
courante chez les théologiens et les prédicateurs contemporains de Corneille (voir, à ce sujet, A. Georges, « Le conflit de la nature et de la grâce
en Polyeucte avant le baptême », *Revue d'histoire du théâtre* 49, 1997,
p. 261-262). Sur le rôle du diable dans les songes, voir note 1, p. 64.
3. Hésitant. « Qui regarde en arrière » : allusion à l'Evangile selon saint
Luc 9, 62 (« Quiconque, ayant mis la main à la charrue, *regarde derrière soi*,
n'est point propre au royaume de Dieu. »)   4. Allusion à l'Evangile
selon saint Matthieu 10, 37 : « Celui qui aime son père ou sa mère plus
que moi n'est pas digne de moi ; et celui qui aime son fils ou sa fille plus
que moi n'est pas digne de moi. » Voir aussi Luc 14, 26-27. Sur l'importance et la signification de cette idée dans la culture chrétienne, voir Introduction, p. 25-26.   5. Tolère.

Mais à vous dire tout, ce seigneur des seigneurs[1]
Veut le premier amour, et les premiers honneurs.
Comme rien n'est égal à sa grandeur suprême,
Il faut ne rien aimer qu'après lui, qu'en lui-même[2],
75 Négliger pour lui plaire, et femme, et biens, et rang,
Exposer pour sa gloire, et verser tout son sang[3] ;
Mais que vous êtes loin de cette amour parfaite
Qui vous est nécessaire, et que je vous souhaite !
Je ne puis vous parler que les larmes aux yeux.
80 Polyeucte *, aujourd'hui qu'on nous hait en tous lieux,
Qu'on croit servir l'Etat quand on nous persécute,
Qu'aux plus âpres tourments un chrétien est en butte[4],
Comment en pourrez-vous surmonter les douleurs,
Si vous ne pouvez pas résister à des pleurs ?

POLYEUCTE

85 Vous ne m'étonnez point, la pitié qui me blesse[5]
Sied bien aux plus grands cœurs, et n'a point de
                                                    [faiblesse[6].
Sur mes pareils, Néarque, un bel œil est bien fort,
Tel craint de le fâcher qui ne craint pas la mort,

---

1. Formule biblique. Voir, par exemple, Deutéronome 10, 17 : « Parce que
le Seigneur votre Dieu est lui-même le Dieu des dieux et le *Seigneur des
seigneurs...* », ou encore Psaumes 136, 3 : « Louez le *Seigneur des seigneurs*,
parce que sa miséricorde est éternelle. »   2. « Rendons cette justice à
sa bonté suprême, / Qui sur tous les amis lui donne le dessus : / *En lui seul,
pour lui seul*, tous ceux qu'il a fait naître, / Tant ennemis qu'amis, il les
faut tous aimer (*L'Imitation de Jésus-Christ*, II, 8, v. 841-844).
3. Comprendre : Exposer et verser tout son sang pour sa gloire. Le terme
« gloire » est à prendre ici dans le sens de « gloire de Dieu », notion d'origine
biblique qu'une longue tradition théologique associe à la manifestation
même de l'Être divin. Voir également v. 719, 1090, 1263, 1679.
4. Durant les trois premiers siècles de notre ère, les chrétiens ont été régu-
lièrement persécutés dans l'Empire romain, dont ils refusaient de reconnaître les dieux. Ces persécutions avaient connu une nouvelle intensité sous
le gouvernement bref de Decius (249-251). L'empereur avait ordonné que
tous les citoyens de l'Empire se livrent devant témoins à un sacrifice aux
dieux romains, en échange de quoi ils obtenaient un certificat.
5. Touche (par amalgame avec l'effet de l'amour, dont les contemporains
de Corneille disent qu'il « blesse » ; voir v. 198). « Etonnez » : ébranlez.
6. Comprendre : n'est pas le signe d'une faiblesse.

Et s'il faut affronter les plus cruels supplices,
90 Y trouver des appas, en faire mes délices[1],
Votre Dieu, que je n'ose encor nommer le mien,
M'en donnera la force en me faisant chrétien.

NÉARQUE

Hâtez-vous donc de l'être.

POLYEUCTE

                    Oui, j'y cours, cher
Je brûle d'en porter la glorieuse * marque[2], [Néarque,
95 Mais Pauline s'afflige, et ne peut consentir,
Tant ce songe la trouble, à me laisser sortir.

NÉARQUE

Votre retour pour elle en aura plus de charmes,
Dans une heure au plus tard vous essuierez ses
                                            [larmes,
Et l'heur de vous revoir lui semblera plus doux,
100 Plus elle aura pleuré pour un si cher époux.
Allons, on nous attend.

POLYEUCTE

                    Apaisez donc sa crainte,
Et calmez la douleur dont son âme est atteinte.
Elle revient.

NÉARQUE

        Fuyez.

POLYEUCTE

Je ne puis.

---

1. Sur la rime *supplices / délices*, voir Introduction, note 1, p. 24.
2. La « marque » du baptême est un équivalent du « caractère » (v. 45).
L'expression figurait déjà dans le *Polietto* italien de G. Bartolommei (« *marchio della Fè Cristiana* », éd. de 1655, p. 289). Sur cette version italienne antérieure à celle de Corneille, voir p. 190-194.

NÉARQUE
                                    Il le faut,
Fuyez un ennemi qui sait votre défaut,
105 Qui le trouve aisément, qui blesse par la vue,
Et dont le coup mortel vous plaît, quand il vous tue [1].

Scène 2

POLYEUCTE, NÉARQUE, PAULINE, STRATONICE

POLYEUCTE
Fuyons, puisqu'il le faut. Adieu, Pauline, adieu,
Dans une heure au plus tard je reviens en ce lieu.

PAULINE
Quel sujet si pressant à sortir vous convie ?
110 Y va-t-il de l'honneur ? y va-t-il de la vie ?

POLYEUCTE
Il y va de bien plus.

PAULINE
                        Quel est donc ce secret ?

POLYEUCTE
Vous le saurez un jour, je vous quitte à regret,
Mais enfin il le faut.

PAULINE
                        Vous m'aimez ?

---

1. Cette réplique développe une métaphore du combat à l'arme blanche :
le défaut (dans le sens du « défaut de la cuirasse », l'endroit par où elle peut
être transpercée), la blessure et le coup mortel. L'ennemi est le diable (voir
note 2, p. 58), comme le confirment encore ces deux vers de *L'Imitation
de Jésus-Christ* : « Evite avec grand soin la pratique des femmes, / Ton
ennemi par là peut trouver *ton défaut*. » Voir également Introduction, p. 26-
27.

POLYEUCTE

Je vous aime,
Le Ciel m'en soit témoin, cent fois plus que moi-
115 Mais...   [même,

PAULINE

Mais mon déplaisir[1] ne vous peut émouvoir !
Vous avez des secrets que je ne puis savoir !
Quelle preuve d'amour ! au nom de l'hyménée,
Donnez à mes soupirs cette seule journée.

POLYEUCTE

Un songe vous fait peur !

PAULINE

Ses présages sont vains[2],
120 Je le sais, mais enfin je vous aime, et je crains.

POLYEUCTE

Ne craignez rien de mal pour une heure d'absence.
Adieu, vos pleurs sur moi prennent trop de puissance,
Je sens déjà mon cœur prêt à se révolter,
Et ce n'est qu'en fuyant que j'y puis résister.

Scène 3

PAULINE, STRATONICE

PAULINE

125 Va, néglige mes pleurs, cours et te précipite
Au-devant de la mort que les dieux m'ont prédite,
Suis cet agent fatal de tes mauvais destins[3],
Qui peut-être te livre aux mains des assassins.
Tu vois, ma Stratonice, en quel siècle nous sommes,
130 Voilà notre pouvoir sur les esprits des hommes,

---

1. Voir note 5, p. 41.   2. Non confirmés par la réalité.   3. Par cette
périphrase, Pauline désigne Néarque.

Voilà ce qui nous reste, et l'ordinaire effet
De l'amour qu'on nous offre, et des vœux qu'on
                                          [nous fait.
Tant qu'ils ne sont qu'amants, nous sommes
                                          [souveraines,
Et jusqu'à la conquête ils nous traitent de[1] reines,
135 Mais après l'hyménée ils sont rois à leur tour[2].

                        STRATONICE
Polyeucte pour vous ne manque point d'amour.
S'il ne vous traite ici d'entière confidence[3],
S'il part malgré vos pleurs, c'est un trait de
                                          prudence[4],
Sans vous en affliger présumez avec moi
140 Qu'il est plus à propos qu'il vous cèle pourquoi,
Assurez-vous sur lui qu'il en a juste cause[5].
Il est bon qu'un mari nous cache quelque chose,
Qu'il soit quelquefois libre, et ne s'abaisse pas
A nous rendre toujours compte de tous ses pas.
145 On n'a tous deux qu'un cœur qui sent mêmes
                                          [traverses[6],
Mais ce cœur a pourtant ses fonctions * diverses,
Et la loi de l'hymen qui vous tient assemblés
N'ordonne pas qu'il tremble, alors que vous tremblez.
Ce qui fait vos frayeurs ne peut le mettre en peine,
150 Il est arménien *, et vous êtes romaine,
Et vous pouvez savoir que nos deux nations *
N'ont pas sur ce sujet mêmes impressions *[7].
Un songe en notre esprit passe pour ridicule,

---

1. La construction « traiter de » pour « traiter en » est utilisée pour exprimer l'idée d'« agir, vivre avec certaines manières proportionnées à la condition, ou à l'humeur des gens » (Furetière).   **2.** Pauline émet, entre les v. 129 et 135, des considérations sur la « question du mariage », principal sujet de conversation, d'analyse et de réflexion dans les salons vers le milieu du XVIIᵉ siècle. Voir également note 7, p. 66.   **3.** Comprendre : S'il ne vous traite avec une entière confiance.   **4.** Sagesse. Polyeucte, selon Stratonice, a raison de ne pas croire à la valeur prémonitoire des songes (voir v. 150-156).   **5.** Comprendre le vers ainsi : Soyez sûre, le connaissant, que ses raisons de s'absenter sont bonnes.   **6.** Comprendre : Qui ressent avec la même intensité les contrariétés.   **7.** Opinions (Furetière donne comme exemple : « Les débauches de sa jeunesse avaient donné de mauvaises impressions, de mauvaises opinions sur sa conduite. »).

nous laisse espoir, ni crainte, ni scrupule,
Mais il passe dans Rome avec autorité
Pour fidèle miroir de la fatalité[1].

PAULINE

Quelque peu de crédit que chez vous il obtienne,
Je crois que ta frayeur égalerait la mienne,
Si de telles horreurs t'avaient frappé l'esprit,
160 Si je t'en avais fait seulement le récit.

STRATONICE

A raconter ses maux souvent on les soulage.

PAULINE

Ecoute, mais il faut te dire davantage,
Et que pour mieux comprendre un si triste[2] discours,
Tu saches ma faiblesse, et mes autres amours[3].
165 Une femme d'honneur peut avouer sans honte
Ces surprises des sens que la raison surmonte,
Ce n'est qu'en ces assauts qu'éclate la vertu[4],
Et l'on doute d'un cœur qui n'a point combattu[5].
Dans Rome où je naquis ce malheureux visage
170 D'un chevalier romain captiva le courage[6],
Il s'appelait Sévère. Excuse les soupirs
Qu'arrache encore un nom trop cher à mes désirs.

---

1. Stratonice exprime ici l'opinion des contemporains de Corneille, qui considéraient la divination des songes, telle que l'avaient pratiquée les Romains, comme un égarement. En effet, outre leur origine physiologique (voir note 2, p. 55), les songes pouvaient être l'œuvre du diable (voir G. Vossius, *De idolatriae origine*, 1641, III, 35, p. 899-900) ; il était donc déplacé, voire dangereux, d'y rechercher une signification (voir également le texte de La Mothe Le Vayer, cité à la note 2, p. 55). **2.** Sinistre. Sens beaucoup plus fort que le sens actuel. **3.** Pluriel d'emphase. En fait, il s'agit d'une relation amoureuse unique. **4.** Le terme est à comprendre, ici ainsi que dans toutes les autres occurrences du texte, dans le sens de « qualité de force et d'énergie du héros qui lui permet d'accomplir ses exploits » (Furetière). **5.** Ce vers constitue une « maxime », c'est-à-dire un énoncé à valeur générale et à caractère sentencieux, qui se présente au spectateur comme émanant directement de l'auteur, par-delà le personnage qui l'énonce. Une maxime atteint son but lorsqu'elle est reconnue par le public comme un trait d'esprit de l'auteur, et qu'elle est mémorisée, puis citée à l'occasion, par les spectateurs de la pièce. **6.** Cœur.

STRATONICE

Est-ce lui qui naguère aux dépens de sa vie
Sauva des ennemis votre empereur Décie,
175 Qui leur tira mourant la victoire des mains,
Et fit tourner le sort des Perses aux Romains[1] ?
Lui qu'entre tant de morts immolés à son maître
On ne put rencontrer, ou du moins reconnaître,
A qui Décie enfin pour des exploits si beaux
180 Fit si pompeusement dresser de vains tombeaux[2] ?

PAULINE

Hélas, c'était lui-même, et jamais notre Rome
N'a produit plus grand cœur, ni vu plus honnête
Puisque tu le connais, je ne t'en dirai rien, [homme.
Je l'aimai, Stratonice, il le méritait bien.
185 Mais que sert le mérite où manque la fortune[3] ?
L'un était grand en lui, l'autre faible et commune :
Trop invincible obstacle, et dont trop rarement
Triomphe auprès d'un père un vertueux amant.

STRATONICE

La digne occasion * d'une rare constance[4] !

PAULINE

190 Dis plutôt d'une indigne et folle résistance,
Quelque fruit qu'une fille en puisse recueillir,
Ce n'est une vertu que pour qui veut faillir[5].

---

1. Comprendre le vers ainsi : Et modifia complètement l'issue de la bataille en donnant la victoire aux Romains sur les Perses.   **2.** « Un vain tombeau est un monument dressé à la gloire de quelqu'un encore que son corps n'y soit point enfermé » (Furetière). Le corps de Sévère en effet n'a pas été retrouvé (v. 177-178).   **3.** Dans le sens de « situation élevée dans la hiérarchie sociale ».   **4.** Fermeté d'âme, qui lui donne la capacité de résistance aux coups du sort. Voir également v. 410. « Rare » : hors du commun. La « constance » est une notion centrale de la pensée néostoïcienne du premier XVIIᵉ siècle.   **5.** Pauline veut dire que le raidissement devant la volonté paternelle, bien loin d'être une preuve de « constance », serait plutôt une résistance indigne d'une fille vertueuse : en effet, le devoir d'une fille est dans la soumission inconditionnelle aux vœux de son père. La « constance », dans le cas présent, serait dès lors une fausse vertu, envisageable seulement pour celles qui acceptent de « faillir », c'est-à-dire de déroger à leur devoir. Rappelons que l'obstacle de l'opposition paternelle à

Parmi[1] ce grand amour que j'avais pour Sévère
J'attendais un époux de la main de mon père.
195 Toujours prête à le prendre, et jamais ma raison
N'avoua de mes yeux l'aimable trahison[2].
Il possédait mon cœur, mes désirs, ma pensée,
Je ne lui cachais point combien j'étais blessée[3],
Nous soupirions ensemble, et pleurions nos
                                        [malheurs,
200 Mais au lieu d'espérance il n'avait que des pleurs,
Et malgré des soupirs si doux, si favorables,
Mon père et mon devoir étaient inexorables.
Enfin je quittai Rome, et ce parfait amant,
Pour suivre ici mon père en son gouvernement,
205 Et lui désespéré s'en alla dans l'armée
Chercher d'un beau trépas l'illustre renommée[4].
Le reste, tu le sais : mon abord[5] en ces lieux
Me fit voir Polyeucte *, et je plus à ses yeux,
Et comme il est ici le chef de la noblesse,
210 Mon père fut ravi qu'il me prît pour maîtresse[6],
Et par son alliance * il se crut assuré
D'être plus redoutable, et plus considéré.
Il approuva sa flamme, et conclut l'hyménée,
Et moi comme à son lit je me vis destinée,
215 Je donnai par devoir à son affection *
Tout ce que l'autre avait par inclination *[7] :
Si tu peux en douter, juge-le par la crainte
Dont en ce triste jour tu me vois l'âme atteinte.

---

l'idée d'un futur gendre sans fortune est un lieu commun du roman et de la comédie de l'époque. **1.** Comprendre : plongée dans (voir G. Spillebout, *op. cit.*, p. 286). **2.** Comprendre : Jamais ma raison n'approuva (« avoua ») l'amour de Sévère, trahison digne d'être aimée (« aimable »), commise par mes sens (en l'occurrence mes yeux). Raison et sens posent deux exigences incompatibles, mais c'est la raison qui l'emporte. **3.** Amoureuse. La métaphore, dont l'origine remonte au moins à Pétrarque, est un lieu commun du langage amoureux littéraire. **4.** L'amant malheureux qui va mourir en réalisant des exploits au combat : il s'agit d'un lieu commun abondamment illustré par le roman de la première moitié du XVIIe siècle. **5.** Arrivée. **6.** Comprendre : qu'il me choisît comme fiancée. **7.** La distinction entre amour par « devoir » et amour par « inclination » est caractéristique de la culture des salons de l'époque. Voir également note 2, p. 63.

STRATONICE

Elle fait assez voir à quel point vous l'aimez ;
220 Mais quel songe après tout tient vos sens alarmés ?

PAULINE

Je l'ai vu cette nuit, ce malheureux Sévère,
La vengeance à la main[1], l'œil ardent de colère.
Il n'était point couvert de ces tristes[2] lambeaux,
Qu'une ombre désolée[3] emporte des tombeaux,
225 Il n'était point percé de ces coups pleins de gloire
Qui retranchant sa vie assurent sa mémoire[4],
Il semblait triomphant et tel que sur son char
Victorieux * dans Rome entre notre César[5].
Après un peu d'effroi que m'a donné sa vue,
230 "Porte à qui tu voudras la faveur qui m'est due,
Ingrate, m'a-t-il dit, et ce jour expiré[6]
Pleure à loisir l'époux que tu m'as préféré."
A ces mots j'ai frémi, mon âme s'est troublée,
Ensuite des chrétiens une impie assemblée,
235 Pour avancer l'effet de ce discours fatal[7],
A jeté Polyeucte * aux pieds de son rival.
Soudain à son secours j'ai réclamé mon père ;
Hélas ! c'est de tout point ce qui me désespère ;
J'ai vu mon père même un poignard à la main
240 Entrer le bras levé pour lui percer le sein.
Là ma douleur trop forte a brouillé ces images,
Le sang de Polyeucte * a satisfait leurs rages,
Je ne sais, ni comment, ni quand ils l'ont tué,
Mais je sais qu'à sa mort tous ont contribué.
245 Voilà quel est mon songe.

---

1. Comprendre : le poignard à la main (métonymie).   2. Lugubres. Les
lambeaux sont les débris de linceul dont l'ombre (nous dirions le « fantôme ») est revêtue lors de ses apparitions. Les v. 223-225 décrivent l'apparence que prend normalement une « ombre » dans les récits de rêves des
tragédies.   3. Esseulée (allusion à la solitude du tombeau).   4. Comprendre : Ces coups qui, en écourtant (« retranchant ») sa vie, assurent sa
réputation posthume.   5. Les v. 227-228 font allusion à la cérémonie
romaine du triomphe célébrée lors de victoires militaires.   6. Comprendre : à la fin de ce jour. Proposition participiale.   7. Comprendre :
Pour hâter la réalisation (« l'effet ») du discours fatal du v. 232.

STRATONICE

Il est vrai qu'il est triste[1],
Mais il faut que votre âme à ces frayeurs résiste ;
La vision * de soi[2] peut faire quelque horreur,
Mais non pas vous donner une juste terreur.
Pouvez-vous craindre un mort ? pouvez-vous
                                            [craindre un père,
250 Qui chérit votre époux, que votre époux révère,
Et dont le juste choix vous a donnée à lui
Pour s'en faire en ces lieux un ferme et sûr appui ?

PAULINE

Il m'en a dit autant, et rit de mes alarmes,
Mais je crains des chrétiens les complots et les
                                            [charmes[3],
255 Et que sur mon époux leur troupeau ramassé
Ne venge tant de sang que mon père a versé[4].

STRATONICE

Leur secte est insensée, impie, et sacrilège,
Et dans son sacrifice use de sortilège[5] ;
Mais sa fureur ne va qu'à briser nos autels[6],

---

1. Sinistre. Sens plus fort que le sens actuel.   **2.** Comprendre : la vision, par elle-même.   **3.** Sortilèges. Les contemporains de Corneille n'étaient pas sans savoir qu'une des accusations les plus fréquentes portées contre les chrétiens du Bas-Empire était celle de magie. Dans le texte source de l'hagiographe Surius (voir p. 1, p. 39), Pauline s'écrie : « Les sortilèges des chrétiens t'ont-ils, toi aussi, envoûté ? » (p. 191 ; nous traduisons).
4. Félix a un passé de persécuteur des chrétiens, auquel il ne sera plus guère fait allusion par la suite. En fait, vu sous cet angle, le père de Pauline remplit une fonction dans un schéma hérité du théâtre des jésuites, qui oppose toujours au martyr un puissant (souvent un gouverneur romain, quand ce n'est pas l'empereur lui-même), cruel et impitoyable, détenant tous les pouvoirs, face auquel le chrétien n'a d'autre choix que d'opposer une résistance héroïque (selon le principe de la vertu de « constance »).
5. Le sacrifice en question est l'eucharistie qui, par le principe de la transsubstantiation, transforme le pain en corps du Christ et le vin en sang du Christ. D'un point de vue païen, cela peut paraître une forme de magie.   **6.** Il n'était pas dans les mœurs des premiers chrétiens de s'attaquer aux objets du culte des autres religions. De telles pratiques ont même été condamnées dans des conciles du Bas-Empire (voir la notice « Martyre », p. 200). Corneille, par cette déclaration (qu'il met prudemment dans la bouche d'une païenne), tente de faciliter l'acceptation, par son public, du futur geste de Polyeucte.

260 Elle n'en veut qu'aux dieux, et non pas aux mortels.
    Quelque sévérité que sur eux on déploie,
    Ils souffrent sans murmure [1], et meurent avec joie,
    Et depuis qu'on les traite en criminels d'Etat,
    On ne peut les charger d'aucun assassinat [2].

PAULINE

265 Tais-toi, mon père vient.

Scène 4

FÉLIX, ALBIN, PAULINE, STRATONICE

FÉLIX

                    Ma fille, que ton songe
En d'étranges [3] frayeurs ainsi que toi me plonge !
Que j'en crains les effets [4] qui semblent s'approcher !

PAULINE

Quelle subite alarme ainsi vous peut toucher ?

FÉLIX

Sévère n'est point mort [5].

PAULINE

                    Quel mal nous fait sa vie ?

FÉLIX

270 Il est le favori de l'empereur Décie.

---

1. Protestation (le terme, dans la langue de l'époque, n'implique pas un faible volume sonore). **2.** Argument provenant de l'*Apologétique* (XXXV-XXXVI) de Tertullien (155-220). Il s'agit d'un texte de référence, pour les contemporains de Corneille, sur les persécutions du Bas-Empire. Voir également notes 1, p. 94 ; 1, p. 101 ; 2, p. 104 ; 6, p. 111 ; 6, p. 137 ; 2, p. 157. « Charger » : accuser. **3.** Hors du commun. **4.** La concrétisation. **5.** Sur le « coup de théâtre » de l'annonce de cette nouvelle et son rôle dans la construction de la tragédie, voir Dossier, « Commentaires », p. 173-174.

PAULINE

Après l'avoir sauvé des mains des ennemis,
L'espoir d'un si haut rang lui devenait permis.
Le destin aux grands cœurs si souvent mal propice
Se résout quelquefois à leur faire justice[1].

FÉLIX

275 Il vient ici lui-même.

PAULINE
Il vient !

FÉLIX
Tu le vas voir.

PAULINE

C'en est trop, mais comment le pouvez-vous savoir ?

FÉLIX

Albin l'a rencontré dans la proche campagne,
Un gros[2] de courtisans en foule l'accompagne,
Et montre assez quel est son rang et son crédit.
280 Mais, Albin, redis-lui ce que ses gens t'ont dit.

ALBIN

Vous savez quelle fut cette grande journée
Que sa perte pour nous rendit si fortunée[3],
Où l'empereur captif par sa main dégagé
Rassura son parti déjà découragé,
285 Tandis que sa vertu succomba sous le nombre ;
Vous savez les honneurs qu'on fit faire à son ombre[4],
Après qu'entre les morts on ne le put trouver ;

---

1. Ces deux derniers vers constituent une maxime. Voir note 5, p.64.
2. « Un amas de troupes qui marchent ensemble » (Furetière). Sévère est accompagné d'une suite très importante.   3. C'est grâce à la mort de Sévère que les Romains ont remporté la victoire.   4. Albin utilise ce terme (qui sert normalement à désigner, dans la langue du XVIIᵉ siècle, ce que nous appelons « fantôme »), parce qu'on n'a pas pu retrouver le cadavre de Sévère (v. 287).

Le roi de Perse aussi[1] l'avait fait enlever.
Témoin de ses hauts faits et de son grand courage,
290 Ce monarque en voulut connaître le visage,
On le mit dans sa tente, où tout percé de coups,
Tout mort qu'il paraissait, il fit mille jaloux.
Là, bientôt il montra quelque signe de vie,
Ce prince généreux en eut l'âme ravie[2],
295 Et sa joie, en dépit de son dernier malheur,
Du bras qui le causait honora la valeur[3],
Il en fit prendre soin, la cure en fut secrète,
Et comme au bout d'un mois sa santé fut parfaite,
Il offrit dignités, alliance *, trésors,
300 Et pour gagner Sévère il fit cent vains efforts.
Après avoir comblé ses refus de louange,
Il envoie à Décie en proposer l'échange,
Et soudain l'empereur, transporté de plaisir,
Offre au Perse son frère, et cent chefs à choisir.
305 Ainsi revint au camp le valeureux Sévère
De sa haute vertu recevoir le salaire,
La faveur de Décie en fut le digne prix[4].
De nouveau l'on combat, et nous sommes surpris ;
Ce malheur toutefois sert à croître sa gloire,
310 Lui seul rétablit l'ordre, et gagne la victoire,
Mais si belle et si pleine, et par tant de beaux faits,
Qu'on nous offre tribut et nous faisons la paix.
L'empereur qui lui montre une amour infinie,
Après ce grand succès l'envoie en Arménie,
315 Il vient en apporter la nouvelle en ces lieux,
Et par un sacrifice en rendre hommage[5] aux dieux.

---

1. Valeur explicative du terme. Comprendre : C'est que le roi de Perse l'avait fait enlever.   2. Séduite au point d'en perdre le sens des réalités. Sens plus fort que le sens actuel. « Généreux » : le terme, dans cette occurrence comme dans toutes les suivantes, fait référence à la grandeur d'âme et non à la capacité à donner.   3. Comprendre : Dans sa joie, le roi de Perse rendit des honneurs à celui qui, par ses exploits guerriers (« son bras »), avait causé sa récente défaite (« son dernier malheur »). 4. Récompense.   5. L'édition originale de 1643 donnait ici « rendre grâce ». Le terme avait visiblement une trop forte connotation chrétienne. Corneille évite l'amalgame.

FÉLIX

O Ciel ! en quel état ma fortune est réduite !

ALBIN

Voilà ce que j'ai su d'un homme de sa suite,
Et j'ai couru, Seigneur, pour vous y disposer.

FÉLIX

320 Ah, sans doute, ma fille, il vient pour t'épouser.
L'ordre d'un sacrifice est pour lui peu de chose[1],
C'est un prétexte faux[2], dont l'amour est la cause.

PAULINE

Cela pourrait bien être, il m'aimait chèrement.

FÉLIX

Que ne permettra-t-il à son ressentiment ?
325 Et jusques à quel point ne porte sa vengeance
Une juste colère avec tant de puissance[3] ?
Il nous perdra, ma fille.

PAULINE

                                                Il est trop généreux[4].

FÉLIX

Tu veux flatter[5] en vain un père malheureux,
Il nous perdra, ma fille. Ah, regret qui me tue,
330 De n'avoir pas aimé la vertu toute nue !
Ah, Pauline, en effet tu m'as trop obéi,
Ton courage était bon[6], ton devoir l'a trahi,
Que ta rébellion * m'eût été favorable !
Qu'elle m'eût garanti d'un état déplorable !
335 Si quelque espoir me reste, il n'est plus aujourd'hui

---

1. Comprendre : Il lui est facile, en raison de sa fonction, de donner l'ordre d'un sacrifice, sous n'importe quel prétexte (et donc ce sacrifice ne suffit pas à expliquer sa venue). 2. Fallacieux. 3. Pouvoir. 4. Comprendre : Il a trop de grandeur d'âme. 5. Bercer d'illusions. 6. « Avoir le courage ou le cœur bon » désigne la qualité du héros qui ne recule pas devant le danger (voir également v. 1061). Félix veut dire que Pauline était « vertueuse » en aimant Sévère. Sur les contradictions du comportement de Félix, voir Introduction, p. 16-17.

Qu'en l'absolu pouvoir qu'il te donnait sur lui[1] :
Ménage[2] en ma faveur l'amour qui le possède,
Et d'où provient mon mal, fais sortir le remède.

PAULINE

Moi ! moi, que je revoie un si puissant vainqueur,
340 Et m'expose à des yeux qui me percent le cœur !
Mon père, je suis femme, et je sais ma faiblesse,
Je sens déjà mon cœur qui pour lui s'intéresse[3],
Et poussera sans doute en dépit de ma foi[4]
Quelque soupir indigne, et de vous, et de moi,
345 Je ne le verrai point.

FÉLIX
                    Rassure[5] un peu ton âme.

PAULINE

Il est toujours aimable, et je suis toujours femme[6].
Dans le pouvoir sur moi que ses regards ont eu,
Je n'ose m'assurer[7] de toute ma vertu,
Je ne le verrai point.

FÉLIX
                    Il faut le voir, ma fille,
350 Ou tu trahis ton père, et toute ta famille.

PAULINE

C'est à moi d'obéir puisque vous commandez,
Mais voyez les périls où vous me hasardez.

FÉLIX

Ta vertu m'est connue.

---

1. Comprendre : Le pouvoir absolu que Sévère, t'aimant, te donnait sur lui-même.   2. Sers-toi avec adresse.   3. Prend parti.   4. Comprendre : Malgré la foi que j'ai donnée à Polyeucte par mon mariage. « Sans doute » : sans aucun doute. Exprime la certitude et non la probabilité.   5. Redonne la fermeté (et non « tranquillise »).   6. C'est-à-dire faible (voir v. 1-2). « Aimable » : digne d'être aimé.   7. Faire confiance.

PAULINE

                Elle vaincra sans doute[1],
Ce n'est pas le succès[2] que mon âme redoute :
355 Je crains ce dur combat, et ces troubles puissants
Que fait déjà chez moi la révolte des sens[3].
Mais puisqu'il faut combattre un ennemi que j'aime,
Souffrez que je me puisse armer contre moi-même,
Et qu'un peu de loisir me prépare à le voir.

FÉLIX

360 Jusqu'au-devant des murs je vais le recevoir,
Rappelle cependant tes forces étonnées[4],
Et songe qu'en tes mains tu tiens nos destinées.

PAULINE

Oui, je vais de nouveau dompter mes sentiments,
Pour servir de victime à vos commandements.

---

1. Sans aucun doute.   2. L'issue (sans forcément l'idée de réussite).
3. « Sens » rime avec « puissants » en vertu du principe de la prosodie théâtrale de l'époque qui veut qu'on prononce la dernière consonne du vers.
4. Ebranlées.

ACTE II

Scène 1

SÉVÈRE, FABIAN

SÉVÈRE

365 Cependant que Félix donne ordre au sacrifice,
Pourrai-je prendre un temps à mes vœux[1] si propice,
Pourrai-je voir[2] Pauline, et rendre à ses beaux yeux
L'hommage souverain que l'on va rendre aux dieux ?
Je ne t'ai point celé que c'est ce qui m'amène,
370 Le reste est un prétexte à soulager ma peine,
Je viens sacrifier *[3], mais c'est à ses beautés
Que je viens immoler toutes mes volontés.

FABIAN

Vous la verrez, Seigneur.

---

1. Métonymie usuelle, dans la langue littéraire de l'époque, pour désigner l'amour.   2. Le verbe « voir » et la notion de « vue » font l'objet, dans toute la scène qui suit, d'un jeu sur leurs potentialités sémantiques. L'opposition entre vision claire et aveuglement est, par ailleurs, un des éléments essentiels de la signification générale de l'œuvre. Voir Introduction, p. 27-30.   3. Sévère, par une « pointe » (un jeu d'esprit), détourne le terme « sacrifice », qu'il a utilisé dans son sens premier au v. 365 (le sacrifice aux dieux païens qu'il est venu célébrer à Mélitène en remerciement de la victoire sur les Perses), au profit de la métaphore amoureuse tradititionnelle. Corneille joue sur la richesse de la notion de « sacrifice ». Pour d'autres exemples, voir v. 628, 711 et Introduction, p. 28.

SÉVÈRE

Ah, quel comble de joie !
Cette chère beauté consent que je la voie !
375 Mais ai-je sur son âme encor quelque pouvoir ?
Quelque reste d'amour s'y fait-il encor voir ?
Quel trouble, quel transport lui cause ma venue ?
Puis-je tout espérer de cette heureuse vue ?
Car je voudrais mourir plutôt que d'abuser
380 Des lettres de faveur[1] que j'ai pour l'épouser ;
Elles sont pour Félix, non pour triompher d'elle,
Jamais à ses désirs mon cœur ne fut rebelle,
Et si mon mauvais sort avait changé le sien[2],
Je me vaincrais moi-même, et ne prétendrais rien.

FABIAN

385 Vous la verrez, c'est tout ce que je vous puis dire.

SÉVÈRE

D'où vient que tu frémis, et que ton cœur soupire ?
Ne m'aime-t-elle plus ? éclaircis-moi ce point.

FABIAN

M'en croirez-vous, Seigneur ? ne la revoyez point,
Portez en lieu plus haut l'honneur de vos caresses[3].
390 Vous trouverez à Rome assez d'autres maîtresses,
Et dans ce haut degré de puissance, et d'honneur
Les plus grands y tiendront votre amour à bonheur[4].

SÉVÈRE

Qu'à des pensers si bas mon âme se ravale !
Que je tienne Pauline à mon sort inégale !
395 Elle en a mieux usé, je la dois imiter,
Je n'aime mon bonheur que pour la mériter.

---

1. Lettre de recommandation de l'empereur, qui invite Félix à accorder sa fille au favori Sévère. En d'autres termes, Sévère est parfaitement en mesure d'obtenir Pauline sans le consentement de celle-ci (Sévère ignore, bien sûr, que Pauline est déjà mariée). 2. Son cœur. 3. Egards, attentions. Sans idée de contact physique. 4. Comprendre : Considére-ront qu'avoir une fille aimée de vous est un bonheur.

Voyons-la, Fabian *, ton discours m'importune [1],
Allons mettre à ses pieds cette haute fortune,
Je l'ai dans les combats trouvée heureusement [2]
400 En cherchant une mort digne de son amant,
Ainsi ce rang est sien, cette faveur est sienne,
Et je n'ai rien enfin que d'elle je ne tienne.

FABIAN

Non, mais [3] encore un coup ne la revoyez point.

SÉVÈRE

Ah, c'en est trop, enfin éclaircis-moi ce point.
405 As-tu vu des froideurs quand tu l'en as priée ?

FABIAN

Je tremble à vous le dire, elle est...

SÉVÈRE

                                        Quoi ?

FABIAN

                                                Mariée *.

SÉVÈRE

Soutiens-moi, Fabian *, ce coup de foudre est grand,
Et frappe d'autant plus, que plus il me surprend.

FABIAN

Seigneur, qu'est devenu ce généreux courage ?

SÉVÈRE

410 La constance [4] est ici d'un difficile usage,
De pareils déplaisirs [5] accablent un grand cœur,
La vertu la plus mâle en perd toute vigueur,
Et quand d'un feu si beau les âmes sont éprises,

---

1. M'est désagréable au plus haut point (sens plus fort que le sens actuel).
2. Par chance. Sévère cherchait la mort et non la gloire.   3. Le « non » sert
à l'approbation de l'énoncé négatif du vers précédent. Cependant, vu que
cette approbation pourrait confirmer Polyeucte dans son intention de voir
Pauline, le « mais » introduit un énoncé qui s'oppose à cette idée.   4. Fermeté d'âme.   5. Voir note 5, p. 41.

La mort les trouble moins, que de telles surprises.
415 Je ne suis plus à moi quand j'entends ce discours.
Pauline est mariée * !

                    FABIAN
                    Oui, depuis quinze jours,
Polyeucte *, un seigneur des premiers d'Arménie,
Goûte de son hymen la douceur infinie.

                    SÉVÈRE
Je ne la puis du moins blâmer d'un mauvais choix,
420 Polyeucte * a du nom, et sort du sang des rois.
Faibles soulagements d'un malheur sans remède,
Pauline, je verrai qu'un autre vous possède !
O Ciel ! qui malgré moi me renvoyez au jour,
O sort qui redonniez l'espoir à mon amour,
425 Reprenez la faveur que vous m'avez prêtée,
Et rendez-moi la mort que vous m'avez ôtée.
Voyons-la toutefois, et dans ce triste lieu
Achevons de mourir en lui disant adieu,
Que mon cœur chez les morts emportant son image
430 De son dernier soupir puisse lui faire hommage.

                    FABIAN
Seigneur, considérez...

                    SÉVÈRE
                    Tout est considéré.
Quel désordre peut craindre un cœur désespéré[1] ?
N'y consent-elle pas ?

                    FABIAN
                    Oui, Seigneur, mais...

                    SÉVÈRE
                                        N'importe.

_____

1. Le terme évoque le suicide (le mot n'apparaît, dans la langue française, qu'au siècle suivant ; à l'époque on dit précisément « se désespérer »). Voir également notes 1, p. 85 et 2, p. 103. « Désordre » : confusion.

FABIAN

Cette vive douleur en deviendra plus forte.

SÉVÈRE

435 Et ce n'est pas un mal que je veuille guérir.
Je ne veux que la voir, soupirer, et mourir.

FABIAN

Vous vous échapperez sans doute[1] en sa présence :
Un amant qui perd tout n'a plus de complaisance,
Dans un tel entretien il suit sa passion *,
440 Et ne pousse qu'injure, et qu'imprécation *.

SÉVÈRE

Juge autrement de moi, mon respect dure encore,
Tout violent * qu'il est, mon désespoir l'adore.
Quels reproches aussi peuvent m'être permis ?
De quoi puis-je accuser qui ne m'a rien promis ?
445 Elle n'est point parjure, elle n'est point légère,
Son devoir m'a trahi, mon malheur, et son père[2].
Mais son devoir fut juste, et son père eut raison,
J'impute à mon malheur toute la trahison :
Un peu moins de fortune, et plus tôt arrivée
450 Eût gagné l'un par l'autre, et me l'eût conservée[3],
Trop heureux, mais trop tard, je n'ai pu l'acquérir,
Laisse-la-moi donc voir, soupirer, et mourir[4].

FABIAN

Oui, je vais l'assurer qu'en ce malheur extrême
Vous êtes assez fort pour vous vaincre vous-même.

---

1. Sans aucun doute. « S'échapper » : se laisser aller à des manifestations incontrôlées.   2. Comprendre : Son devoir, mon malheur et son père m'ont trahi.   3. Comprendre les v. 449-450 ainsi : Si j'avais été moins heureux à la guerre, mais en revanche plus tôt couronné de succès, j'aurais été en mesure de répondre au « devoir » de Pauline (j'aurais « gagné » « l'un », renvoyant au « devoir » du v. 447), en satisfaisant aux attentes de son père (« l'autre », cf. son « père », v. 447) ; cette réussite m'aurait ainsi conservé Pauline. Plus précisément : le devoir de Pauline (obéir à son père ; voir note 5, p. 65) aurait été « gagné » (aurait coïncidé avec les vœux amoureux de Sévère) par l'action même du père de Pauline (en effet, ce dernier aurait fait porter son choix sur ce gendre « fortuné »).   4. Reprise partielle du v. 436, annonçant la dimension élégiaque de la scène suivante.

455 Elle a craint comme moi ces premiers mouvements [1]
Qu'une perte imprévue arrache aux vrais amants,
Et dont la violence * excite [2] assez de trouble,
Sans que l'objet présent [3] l'irrite et la redouble.

SÉVÈRE

Fabian *, je la vois.

FABIAN

Seigneur, souvenez-vous...

SÉVÈRE

460 Hélas, elle aime un autre, un autre est son époux.

Scène 2

SÉVÈRE, PAULINE, STRATONICE, FABIAN

PAULINE

Oui, je l'aime, seigneur, et n'en fais point d'excuse,
Que tout autre que moi vous flatte [4], et vous abuse [5],
Pauline a l'âme noble, et parle à cœur ouvert.
Le bruit de votre mort n'est point ce qui vous perd.
465 Si le Ciel en mon choix eût mis mon hyménée,
A vos seules vertus je me serais donnée,
Et toute la rigueur de votre premier sort
Contre votre mérite eût fait un vain effort [6].
Je découvrais en vous d'assez illustres marques [7],
470 Pour vous préférer même aux plus heureux
                                                      [monarques,

---

1. Emotions, élans.   2. Provoque.   3. Comprendre : la présence de
l'objet. Figure de style dénommée implication.   4. Berce d'illusions.
5. Trompe.   6. Le terme « effort » désigne, dans la langue de l'époque,
tantôt une action caractérisée par son haut degré d'engagement et d'intensité, tantôt le résultat de cette action. On peut donc soit fournir, soit subir
des « efforts ». Le terme est fréquemment employé dans un contexte guerrier. Ici, par exemple, il est plus ou moins équivalent à « assaut ». Voir
également v. 515, 684, 979, 1163, 1650.   7. Comprendre : signes de
noblesse.

Mais puisque mon devoir m'imposait d'autres lois,
De quelque amant pour moi que mon père eût fait
                                                    [choix,
Quand à ce grand pouvoir que la valeur vous donne
Vous auriez ajouté l'éclat d'une couronne,
475 Quand je vous aurais vu, quand je l'aurais haï,
J'en aurais soupiré, mais j'aurais obéi,
Et sur mes passions * ma raison souveraine[1]
Eût blâmé mes soupirs et dissipé ma haine.

SÉVÈRE

Que vous êtes heureuse, et qu'un peu de soupirs
480 Fait un aisé remède à tous vos déplaisirs[2] !
Ainsi de vos désirs toujours reine absolue,
Les plus grands changements vous trouvent résolue[3],
De la plus forte ardeur vous portez vos esprits
Jusqu'à l'indifférence, et peut-être au mépris,
485 Et votre fermeté fait succéder sans peine
La faveur au dédain, et l'amour à la haine.
Qu'un peu de votre humeur[4] ou de votre vertu
Soulagerait les maux de ce cœur abattu !
Un soupir, une larme à regret épandue
490 M'aurait déjà guéri de vous avoir perdue,
Ma raison pourrait tout sur l'amour affaibli,
Et de l'indifférence irait jusqu'à l'oubli,
Et mon feu désormais se réglant sur le vôtre,
Je me tiendrais heureux entre les bras d'une autre.
495 O trop aimable objet qui m'avez trop charmé[5],
Est-ce là comme on aime, et m'avez-vous aimé ?

PAULINE

Je vous l'ai trop fait voir[6], Seigneur, et si mon âme
Pouvait bien étouffer les restes de sa flamme,
Dieux, que j'éviterais de rigoureux tourments !
500 Ma raison, il est vrai, dompte mes sentiments,

---

1. Comprendre : ma raison souveraine sur mes passions. Inversion stylistique.   2. Voir note 5, p. 41.   3. « On dit d'une femme que c'est une résolue pour dire qu'elle est brave et courageuse, qu'elle n'a point la faiblesse ordinaire aux autres femmes » (Furetière).   4. Disposition de tempérament (et non disposition d'esprit passagère).   5. Envoûté. Sens plus fort que le sens actuel.   6. Dans l'édition originale de 1643, Pauline remplace cet hémistiche par un : « Je vous aimai, Sévère. »

Mais quelque autorité que sur eux elle ait prise,
Elle n'y règne pas, elle les tyrannise [1],
Et quoique le dehors soit sans émotion *,
Le dedans n'est que trouble, et que sédition *.
505 Un je ne sais quel charme [2] encor vers vous m'emporte,
Votre mérite est grand si ma raison est forte [3] ;
Je le vois encor tel qu'il alluma mes feux
D'autant plus puissamment solliciter mes vœux [4],
Qu'il est environné de puissance, et de gloire,
510 Qu'en tous lieux après vous il traîne la victoire,
Que j'en sais mieux le prix, et qu'il n'a point déçu
Le généreux [5] espoir que j'en avais conçu.
Mais ce même devoir qui le vainquit dans Rome,
Et qui me range ici dessous les lois d'un homme,
515 Repousse encor si bien l'effort [6] de tant d'appas,
Qu'il déchire mon âme, et ne l'ébranle pas.
C'est cette vertu même à nos désirs cruelle
Que vous louiez alors, en blasphémant contre elle,
Plaignez-vous-en encor, mais louez sa rigueur [7]
520 Qui triomphe à la fois de vous, et de mon cœur,
Et voyez qu'un devoir moins ferme et moins sincère
N'aurait pas mérité l'amour du grand Sévère [8].

---

1. Pauline oppose l'action de régner, c'est-à-dire d'exercer une autorité naturelle et mesurée, à celle de « tyranniser », qui implique l'abus de pouvoir et l'usage de la violence.   2. Sortilège.   3. Le « si » introduit un parallélisme (votre mérite / ma raison) et non une conditionnelle. 4. Voir note 1, p. 75.   5. La qualification de « généreux » a été déplacée, par hypallage, du terme « Sévère » au terme « espoir ».   6. Assaut. Voir note 6, p. 80.   7. Les v. 518-519 présentent une construction en chiasme : aux deux extrémités un hémistiche contenant l'idée de « louer » ; dans les parties centrales, l'idée inverse (« plaindre » et « blasphémer »). 8. L'amour de Sévère apparaît comme une impasse. Sévère aime Pauline en raison de sa vertu ; et c'est cette vertu qui fait qu'étant mariée, Pauline doit renoncer à aimer Sévère. Si Pauline aimait Sévère, elle dérogerait à sa vertu, et Sévère n'aurait plus de raison de l'aimer. Il n'y a aucune issue possible. Sur le plan théâtral, cette situation permet la création d'une scène dans laquelle les amants « célèbrent » leur malheur en déplorant que ce qui aurait pu avoir lieu n'ait pas eu lieu. C'est le principe de l'élégie, sur lequel était construite la plus célèbre pièce du premier tiers du siècle : *Pyrame et Thisbé* (1621) de Théophile de Viau.

SÉVÈRE

Ah, Madame, excusez une aveugle douleur,
Qui ne connaît plus rien que l'excès[1] du malheur ;
525 Je nommais inconstance, et prenais pour un crime[2]
De ce juste devoir l'effort le plus sublime.
De grâce, montrez moins à mes sens désolés[3]
La grandeur de ma perte, et ce que vous valez[4],
Et cachant par pitié cette vertu si rare[5]
530 Qui redouble mes feux, lorsqu'elle nous sépare,
Faites voir des défauts qui puissent à leur tour
Affaiblir ma douleur avecque mon amour.

PAULINE

Hélas ! cette vertu quoique enfin[6] invincible,
Ne laisse que trop voir une âme trop sensible.
535 Ces pleurs en sont témoins, et ces lâches[7] soupirs
Qu'arrachent de nos feux les cruels souvenirs,
Trop rigoureux effets d'une aimable[8] présence,
Contre qui mon devoir a trop peu de défense.
Mais si vous estimez ce vertueux devoir,
540 Conservez-m'en la gloire[9], et cessez de me voir.
Epargnez-moi des pleurs qui coulent à ma honte,
Epargnez-moi des feux qu'à regret je surmonte,
Enfin épargnez-moi ces tristes entretiens
Qui ne font qu'irriter vos tourments, et les miens.

SÉVÈRE

545 Que je me prive ainsi du seul bien qui me reste !

---

1. Degré très important (sans idée de dépassement).   2. Faute grave,
dans un sens toutefois moins fort que le sens actuel. La langue littéraire de
l'époque associe ce terme au registre amoureux, aussi bien qu'à un contexte
religieux (pour d'autres emplois dans le sens de « péché », voir v. 664, 694,
824).   3. Abattus, ruinés. Sens plus fort que le sens actuel.   4. Sévère adresse à Pauline des louanges en feignant de la blâmer. Figure de
style dénommée astéisme.   5. Extraordinaire.   6. Valeur prospective
du terme : la vertu de Pauline restera « à la fin » (après le combat qu'elle
traverse) invincible.   7. Dans le sens de « relâchés, sans force de résistance ».   8. Dans le sens de « digne d'être aimée ».   9. Ici, dans le
sens d'« intégrité de ma réputation ».

PAULINE

Sauvez-vous d'une vue à tous les deux funeste.

SÉVÈRE

Quel prix de mon amour ! quel fruit de mes travaux[1] !

PAULINE

C'est le remède seul qui peut guérir nos maux.

SÉVÈRE

Je veux mourir des miens, aimez-en la mémoire.

PAULINE

550 Je veux guérir des miens, ils souilleraient ma gloire[2].

SÉVÈRE

Ah, puisque votre gloire en prononce l'arrêt,
Il faut que ma douleur cède à son[3] intérêt ;
Est-il rien que sur moi cette gloire n'obtienne ?
Elle me rend les soins que je dois à la mienne[4].
555 Adieu, je vais chercher au milieu des combats
Cette immortalité que donne un beau trépas,
Et remplir dignement par une mort pompeuse[5]
De mes premiers exploits l'attente avantageuse[6],
Si toutefois après ce coup mortel du sort,
560 J'ai de la vie assez, pour chercher une mort.

PAULINE

Et moi dont votre vue augmente le supplice,
Je l'éviterai même en votre sacrifice[7],

---

1. Peines. « Prix » : récompense.   2. Les v. 545 à 550 constituent une
stichomythie (échange de répliques de même dimension — normalement
un seul vers — et s'opposant une à une). « Gloire » : voir note 9,
p. 83.   3. Se rapporte à « gloire » au vers précédent.   4. Comprendre : Elle me ramène à la préoccupation que je dois avoir de ma propre
gloire. Si Sévère veut rester digne de Pauline, il doit faire preuve d'une
« gloire » égale à la sienne.   5. Dans le sens de « grandiose, glorieuse ».
Pas de nuance péjorative dans la langue de l'époque.   6. Comprendre
le v. 558 ainsi : La supériorité (cf. « avantageuse ») à laquelle on peut s'attendre sur la base de mes premiers exploits guerriers.   7. C'est-à-dire le
sacrifice pour lequel vous êtes venu ici (cf. v. 316).

Et seule dans ma chambre enfermant mes regrets
Je vais pour vous aux dieux faire des vœux secrets.

SÉVÈRE

565 Puisse le juste ciel content de ma ruine *
Combler d'heur et de jours Polyeucte *, et Pauline.

PAULINE

Puisse trouver Sévère après tant de malheur
Une félicité digne de sa valeur.

SÉVÈRE

Il la trouvait en vous.

PAULINE

Je dépendais d'un père.

SÉVÈRE

570 O devoir qui me perd, et qui me désespère[1] !
Adieu, trop vertueux objet, et trop charmant[2].

PAULINE

Adieu, trop malheureux, et trop parfait amant.

Scène 3

PAULINE, STRATONICE

STRATONICE

Je vous ai plaints tous deux, j'en verse encor des
                                                    [larmes,
Mais du moins votre esprit est hors de ses alarmes,
575 Vous voyez clairement que votre songe est vain[3] ;
Sévère ne vient pas la vengeance à la main.

---

1. Voir note 1, p. 78.   **2.** Envoûtant, qui possède un pouvoir de séduction irrésistible (voir le sens de « charme « au v. 254).   **3.** N'est pas confirmé par la réalité.

PAULINE

Laisse-moi respirer du moins si tu m'as plainte,
Au fort de ma douleur tu rappelles ma crainte,
Souffre un peu de relâche à mes esprits troublés,
580 Et ne m'accable point par des maux redoublés.

STRATONICE

Quoi, vous craignez encor !

PAULINE

                                    Je tremble, Stratonice,
Et bien que je m'effraie avec peu de justice,
Cette injuste[1] frayeur sans cesse reproduit
L'image des malheurs que j'ai vus cette nuit.

STRATONICE

585 Sévère est généreux[2].

PAULINE

                                    Malgré sa retenue
Polyeucte * sanglant frappe toujours ma vue.

STRATONICE

Vous voyez ce rival faire des vœux pour lui.

PAULINE

Je crois même au besoin qu'il serait son appui ;
Mais soit cette croyance, ou fausse, ou véritable[3],
590 Son séjour en ce lieu m'est toujours redoutable ;
A quoi que sa vertu puisse le disposer,
Il est puissant, il m'aime, et vient pour m'épouser.

---

1. Injustifiée. Cf. « justice » dans le sens de « justesse » au vers précédent.   2. A une âme noble.   3. Comprendre : Que cette croyance soit fausse ou véritable. Pour le subjonctif sans conjonction, voir A. Haase, *Syntaxe française du XVIIᵉ siècle*, Paris, Delagrave, 1914, p. 173.

Scène 4

POLYEUCTE, NÉARQUE, PAULINE, STRATONICE

POLYEUCTE

C'est trop verser de pleurs, il est temps qu'ils tarissent,
Que votre douleur cesse, et vos craintes finissent :
595 Malgré les faux avis par vos[1] dieux envoyés,
Je suis vivant, Madame, et vous me revoyez.

PAULINE

Le jour est encor long[2], et ce qui plus m'effraie,
La moitié de l'avis se trouve déjà vraie.
J'ai cru Sévère mort, et je le vois ici.

POLYEUCTE

600 Je le sais, mais enfin j'en prends peu de souci.
Je suis dans Mélitène, et quel que soit Sévère,
Votre père y commande, et l'on m'y considère,
Et je ne pense pas qu'on puisse avec raison
D'un cœur tel que le sien craindre une trahison,
605 On m'avait assuré qu'il vous faisait visite,
Et je venais lui rendre un honneur qu'il mérite.

PAULINE

Il vient de me quitter assez triste et confus[3],
Mais j'ai gagné sur lui qu'il ne me verra plus.

---

1. Polyeucte revient du baptême, il n'est donc plus païen. L'emploi du possessif « vos » peut s'interpréter comme une distance désormais clairement marquée à l'égard de la religion de son épouse. Toutefois l'absence de réaction de la part de Pauline peut également laisser entendre que la formulation de Polyeucte fait simplement référence à la distinction entre religion romaine et religion arménienne, déjà mise en évidence au v. 150 à propos de la question de l'interprétation des songes.   2. Cet argument de Pauline est également utile à Corneille pour justifier que les événements qui vont suivre peuvent être concentrés avec vraisemblance dans le reste d'une journée, et que la règle de l'unité de temps est ainsi respectée.
3. Effondré. Sens plus fort que le sens actuel.

POLYEUCTE

Quoi ! vous me soupçonnez déjà de quelque ombrage [1] !

PAULINE

610 Je ferais à tous trois un trop sensible [2] outrage,
J'assure mon repos que troublent ses regards.
La vertu la plus ferme évite les hasards [3],
Qui s'expose au péril veut bien trouver sa perte ;
Et pour vous en parler avec une âme ouverte,
615 Depuis qu'un vrai mérite a pu nous enflammer,
Sa présence toujours a droit de nous charmer [4].
Outre qu'on doit rougir de s'en laisser surprendre,
On souffre à résister, on souffre à s'en défendre,
Et bien que la vertu triomphe de ces feux,
620 La victoire est pénible, et le combat honteux.

POLYEUCTE

O vertu trop [5] parfaite, et devoir trop sincère !
Que vous devez coûter de regrets à Sévère !
Qu'aux dépens d'un beau feu [6] vous me rendez
                                        [heureux,
Et que vous êtes doux à mon cœur amoureux !
625 Plus je vois mes défauts, et plus je vous contemple,
Plus j'admire [7]...

---

1. Jalousie.   2. Douloureux. Pour Polyeucte l'outrage serait d'être soupçonné de jalousie (v. 609) ; pour Pauline, d'être soupçonnée d'infidélité ; pour Sévère, d'être soupçonné de courtiser une femme mariée. 3. Risques.   4. Les v. 615-616 constituent une maxime (de même que le v. 613). Voir note 5, p. 64. Le « nous » a ici une valeur générale, substitutive du « on », forme qui ne se trouve qu'en position de sujet. Polyeucte reprendra ces vers à son compte, lorsque Pauline lui demandera de renoncer à sa décision d'aller au martyre (v. 1589-1590).   5. Dans le sens de « très ». Voir Haase, *op. cit.*, p. 245.   6. Au détriment de l'amour de Sévère pour Pauline.   7. Dans la langue de l'époque, le terme exprime en premier lieu l'étonnement.

Scène 5

POLYEUCTE, NÉARQUE, PAULINE,
STRATONICE, CLÉON

CLÉON

Seigneur, Félix vous mande au
[temple,
La victime est choisie, et le peuple à genoux,
Et pour sacrifier * on n'attend plus que vous[1].

POLYEUCTE

Va, nous allons te suivre[2]. Y venez-vous, Madame ?

PAULINE

630 Sévère craint ma vue, elle irrite sa flamme,
Je lui tiendrai parole, et ne veux plus le voir.
Adieu, vous l'y verrez, pensez à son pouvoir,
Et ressouvenez-vous que sa faveur est grande.

POLYEUCTE

Allez, tout son crédit n'a rien que j'appréhende,
635 Et comme je connais sa générosité[3],
Nous ne nous combattrons que de civilité.

---

1. L'idée de sacrifice peut évoquer ici également le futur martyre de
Polyeucte. Sur la polysémie de la notion, voir également la note 3, p. 75.
2. Pour un spectateur contemporain de Corneille, ces propos de Polyeucte
créent un effet de surprise, une sorte de coup de théâtre : Polyeucte, s'il
était un martyr normal, devrait à ce moment refuser de se rendre au sacrifice, se faire dénoncer comme chrétien, affirmer sa foi en public, la soutenir
sous la torture, puis subir le martyre. C'est le déroulement habituel des
récits de martyre (et des pièces qui en sont tirées) : les cérémonies des rites
païens sont généralement l'occasion de la révélation de la foi du futur martyr et le début de sa marche vers la mort. Corneille laisse quelque temps
régner le suspens, jusqu'au v. 645, où, nouveau coup de théâtre, on
apprend quelle est en fait la véritable décision de Polyeucte. Voir également
Dossier, « Commentaires », p. 176-177.   3. Noblesse d'âme.

Scène 6

POLYEUCTE, NÉARQUE

NÉARQUE
Où pensez-vous aller ?

POLYEUCTE
Au temple, où l'on[1] m'appelle.

NÉARQUE
Quoi ? vous mêler aux vœux d'une troupe infidèle[2] ?
Oubliez-vous déjà que vous êtes chrétien ?

POLYEUCTE
640 Vous par qui je le suis, vous en souvient-il bien ?

NÉARQUE
J'abhorre les faux dieux.

POLYEUCTE
Et moi, je les déteste.

NÉARQUE
Je tiens leur culte impie.

POLYEUCTE
Et je le tiens funeste.

NÉARQUE
Fuyez donc leurs autels.

POLYEUCTE
Je les veux renverser,
Et mourir dans leur temple, ou les y terrasser[3].
645 Allons, mon cher Néarque, allons aux yeux des
[hommes

---

1. Ce « on » est ambigu : l'indéfini peut être interprété comme désignant
soit Sévère et Félix, soit Dieu lui-même (qui appelle Polyeucte à l'action
héroïque).   2. Païenne.   3. Dans l'édition originale de 1643, le second
hémistiche du vers était formulé ainsi : « ou bien les en chasser ».

Braver l'idolâtrie, et montrer qui nous sommes[1] ;
C'est l'attente du ciel, il nous la faut remplir,
Je viens de le promettre[2], et je vais l'accomplir.
Je rends grâces au Dieu que tu m'as fait connaître
650 De cette occasion *[3] qu'il a sitôt fait naître,
Où déjà sa bonté prête à me couronner[4]
Daigne éprouver[5] la foi qu'il vient de me donner.

NÉARQUE
Ce zèle[6] est trop ardent, souffrez qu'il se modère[7].

---

1. La formulation de l'hémistiche est ambiguë : on peut la comprendre comme une déclaration d'héroïsme (« montrer de quelle trempe nous sommes ») ou elle peut signifier « montrer que nous sommes chrétiens ». Corneille l'a sans doute choisie à dessein.   2. A l'occasion du baptême. En réalité, les « promesses du baptême », terme consacré qui désigne l'engagement pris par le nouveau baptisé, concernent essentiellement son adhésion à l'enseignement du Christ. C'est ce que rappelle le Concile de Trente (1545-1563), sous la forme caractéristique de ses décrets : « Si quelqu'un dit que les baptisés, par leur baptême, ne sont obligés qu'à la foi et non à l'observation de toute la Loi du Christ, qu'il soit anathème », *Canons sur le sacrement du baptême*, 7 (cité par G. Dumeige, *Textes doctrinaux du Magistère de l'Eglise sur la Foi catholique*, Paris, Cerf, 1969, p. 387). Cependant, il n'est nulle part question d'une promesse qui viserait la destruction de l'idolâtrie.   3. Le terme a peut-être ici la connotation belliqueuse qu'on lui connaît dans la langue de l'époque (Furetière donne « se dit aussi des rencontres de la guerre »). 4. Il s'agit de la couronne qui, avec la palme (voir v. 662), est un des attributs traditionnels du martyre depuis les tout premiers temps du christianisme. Voir notamment l'Epître de saint Jacques 1, 12 : « Heureux celui qui souffre patiemment les tentations et les maux, parce que lorsque sa vertu aura été éprouvée, il recevra la *couronne* de vie, que Dieu a promise à ceux qui l'aiment. » Voir également v. 1228.   5. Mettre à l'épreuve.   6. Le terme, à l'époque, signifie en premier lieu « amour passionné ». Même si l'on s'en sert métaphoriquement pour le langage amoureux, il est utilisé avant tout pour décrire l'amour de Dieu ou de la patrie. Furetière donne comme exemple : « C'est le zèle de la religion qui animait les apôtres et les martyrs. » 7. Dans la suite de la scène (dont les v. 653-664 sous forme de stichomythie ; voir note 2, p. 84), Néarque et Polyeucte échangent des arguments théologiques sur le bien-fondé de l'action que Polyeucte se propose d'entreprendre : engagement du chrétien (v. 653-654) ; risque de reniement de la foi sous la torture (v. 656) ; problème du « zèle téméraire » (v. 657-658 ; voir Introduction, p. 18-20) ; nécessité de la vertu de « persévérance » (v. 664-666) ; mission du chrétien dans la communauté des fidèles (v. 670-672) ; confiance dans l'aide de Dieu (v. 675-678) ; rôle de la grâce dans les choix individuels (v. 680-681) ; effet de la grâce du baptême (v. 691-702). Sur la fonction de ces considérations, voir Dossier, « Commentaires », p. 179-181.

POLYEUCTE
On n'en peut avoir trop pour le Dieu qu'on révère.

NÉARQUE
655 Vous trouverez la mort.

POLYEUCTE
                        Je la cherche pour lui.

NÉARQUE
Et si ce cœur s'ébranle ?

POLYEUCTE
                        Il sera mon appui.

NÉARQUE
Il ne commande point que l'on s'y précipite.

POLYEUCTE
Plus elle est volontaire, et plus elle mérite[1].

NÉARQUE
Il suffit, sans chercher, d'attendre, et de souffrir.

POLYEUCTE
660 On souffre avec regret, quand on n'ose s'offrir[2].

NÉARQUE
Mais dans ce temple enfin la mort est assurée.

---

1. Comprendre : Elle a de mérite. Employé absolument, ce verbe appartient au vocabulaire religieux. « Elle » se rapporte à « la mort » (v. 655).
2. Le verbe « s'offrir » fait écho à « souffrir » au vers précédent. La parono-
mase (jeu sur l'homophonie) souligne ici l'opposition entre deux types de
martyrs : le martyr « ordinaire » qui « souffre », c'est-à-dire qui subit avec
« constance » les tortures infligées par le persécuteur ; et le martyr qui se
précipite au-devant de la persécution, qui « s'offre », à l'instar de Polyeucte.

POLYEUCTE

Mais dans le ciel déjà la palme[1] est préparée.

NÉARQUE

Par une sainte vie il faut la mériter.

POLYEUCTE

Mes crimes[2] en vivant me la pourraient ôter.
665 Pourquoi mettre au hasard[3] ce que la mort assure ?
Quand elle ouvre le ciel peut-elle sembler dure ?
Je suis chrétien, Néarque, et le suis tout à fait,
La foi que j'ai reçue aspire à son effet[4],
Qui fuit croit lâchement[5], et n'a qu'une foi morte.

---

1. La palme est la récompense que l'on attribue, dans l'Antiquité, à l'athlète vainqueur. Dans la littérature hagiographique de l'époque moderne, le martyr est très souvent comparé à un athlète. Voir également note 4, p. 91.   2. Péchés. Voir note 2, p. 83.   3. Mettre en danger. L'objection de Néarque (v. 663) porte sur la vertu de persévérance, garante du salut. Cf. Evangile selon saint Matthieu 10, 22 : « Et vous serez haïs de tous les hommes à cause de mon nom ; mais celui-là sera sauvé qui *persévé-rera* jusqu'à la fin. » Dans son *Traité de l'amour de Dieu* (1616), saint Fran-çois de Sales évoque le cas privilégié des martyrs mis à mort peu après leur conversion, et auxquels il n'est demandé qu'une très « courte persévé-rance » : « Car ils arrivent au port sans navigation, et font leur pèlerinage en un seul saut que la puissante miséricorde de Dieu leur fait faire si à propos, que leurs ennemis les voient triompher avant que de les sentir combattre : de sorte que leur conversion et leur persévérance n'est presque qu'une même chose » (éd. cit., p. 494-495). Voir également le décret 691 du Concile de Florence (1439) : « Si [les baptisés] meurent avant d'avoir commis quelque faute, ils parviennent immédiatement au Royaume des cieux et à la vision de Dieu », (Dumeige, *op. cit.*, p. 386). Sur ce type de « pari » (mourir tout de suite pour éviter de pécher et de compromettre son salut) et son importance dans la culture chrétienne de l'époque, voir Introduction, p. 24.   4. Concrétisation.   5. De manière relâchée (et, par conséquent, timorée). La « foi morte » est l'expression qu'utilise l'Epître de saint Jacques (2, 17) pour dénoncer la tiédeur des croyants dont l'adhé-sion au Christ n'est pas sanctionnée par les bonnes œuvres : « Ainsi la foi qui n'a point les œuvres est morte en elle-même » ; *ibid.*, 2, 26 : « Car comme le corps est mort lorsqu'il est sans âme, ainsi la foi est morte lors-qu'elle est sans œuvres. »

NÉARQUE

670 Ménagez votre vie, à Dieu même elle importe
Vivez pour protéger les chrétiens en ces lieux.

POLYEUCTE

L'exemple de ma mort les fortifiera mieux[1].

NÉARQUE

Vous voulez donc mourir !

POLYEUCTE

                        Vous aimez donc à vivre[2] !

NÉARQUE

Je ne puis déguiser que j'ai peine à vous suivre,
675 Sous l'horreur des tourments je crains de succomber.

POLYEUCTE

Qui marche assurément n'a point peur de tomber[3],
Dieu fait part au besoin de sa force infinie,
Qui craint de le nier dans son âme le nie,
Il croit le pouvoir faire, et doute de sa foi.

NÉARQUE

680 Qui n'appréhende rien présume trop de soi.

---

1. « Mais elles ne servent à rien, vos cruautés les plus raffinées. Elles sont plutôt un attrait pour notre secte. Nous devenons plus nombreux chaque fois que vous nous moissonnez : le sang des chrétiens est une semence » (Tertullien, *Apologétique*, 50, 15). La métaphore de Tertullien a été très tôt répandue sous la forme d'un dicton : *Sanguis martyrum semen christianorum.* Voir également note 2, p. 157.   2. Voir v. 1515, où on trouve une précision (ou une rectification ?) de l'idée exposée dans cet hémistiche. 3. Maxime (voir également v. 680). « Assurément » : avec assurance. L'idée exprimée dans ce vers et dans le vers suivant est une idée commune de *L'Imitation de Jésus-Christ* : « Combattons de pied ferme en courageux soldats, / Et le secours du Ciel ne nous manquera pas : / Dieu le tient toujours prêt, et sa Grâce fidèle, / Toujours propice aux cœurs qui n'espèrent qu'en elle, / Ne fait l'occasion du plus rude combat, / Que pour nous faire vaincre avecque plus d'éclat » (traduction de Corneille, *op. cit.*, I, 11, v. 707-713).

POLYEUCTE

J'attends tout de sa grâce, et rien de ma faiblesse.
Mais loin de me presser, il faut que je vous presse[1] !
D'où vient cette froideur ?

NÉARQUE

                        Dieu même a craint la
                                                  mort[2].

POLYEUCTE

Il s'est offert pourtant, suivons ce saint effort[3],
685 Dressons-lui des autels sur des monceaux d'idoles[4].
Il faut (je me souviens encor de vos paroles)
Négliger pour lui plaire, et femme, et biens, et rang,
Exposer pour sa gloire et verser tout son sang[5].
Hélas, qu'avez-vous fait de cette amour parfaite
690 Que vous me souhaitiez, et que je vous souhaite ?
S'il vous en reste encor, n'êtes-vous point jaloux
Qu'à grand peine[6] chrétien j'en montre plus que
                                                  [vous ?

---

1. Comprendre : Plutôt que ce soit vous (le chrétien de longue date) qui me pressiez, comme on s'y attendrait, c'est moi qui dois vous presser. Le sujet non exprimé de « presser » est « vous ». Sur ce type de construction dans la langue de l'époque, voir N. Fournier, *Grammaire du français classique* (Paris, Belin, 1998), § 417-418.   2. Allusion à l'agonie du Christ au jardin des Oliviers (Évangile selon saint Luc 22, 42-44).   3. Exploit. Corneille procède ici à un amalgame qui peut paraître audacieux. Le Christ s'est offert, certes, mais sans action violente. De ce point de vue, Polyeucte, par le geste qu'il va commettre, ne semble pas du tout en passe de « suivre » le Christ. En fait, ce type d'imitation « offensive » du Christ n'est pas du tout incompatible avec la religion du temps (voir, par exemple, la dernière strophe du chapitre III, 56 de *L'Imitation de Jésus-Christ*, dans la traduction de Corneille).   4. Les récits historiques de l'Ancien Testament mentionnent à plusieurs reprises le remplacement expiatoire d'un autel consacré aux idoles par un autel agréable à Dieu. C'est par un tel acte, par exemple, que Gédéon reconnaît la mission libératrice qui lui est confiée (Livre des Juges 6, 25 *sq.*) Dans un sens analogue, le second livre des Chroniques raconte comment Joas rétablit l'autel du Temple, au lieu même où Athalie avait sacrifié aux idoles (2 Ch. 24, 4 *sq.*).   5. Polyeucte reprend ici les propos de Néarque aux v. 75-76.   6. Tout récemment. Le terme « grand » vient ici intensifier l'expression temporelle « à peine ».

NÉARQUE

Vous sortez du baptême, et ce qui vous anime
C'est sa grâce qu'en vous n'affaiblit aucun crime[1] ;
695 Comme encor tout entière, elle agit pleinement,
Et tout semble possible à son feu véhément[2].
Mais cette même grâce en moi diminuée,
Et par mille péchés sans cesse exténuée[3],
Agit aux grands effets[4] avec tant de langueur,
700 Que tout semble impossible à son peu de vigueur.
Cette indigne mollesse et ces lâches défenses
Sont des punitions * qu'attirent mes offenses ;
Mais Dieu, dont on ne doit jamais se défier *[5],
Me donne votre exemple à[6] me fortifier *.
705 Allons, cher Polyeucte *, allons aux yeux des

[hommes
Braver l'idolâtrie, et montrer qui nous sommes[7] ;
Puissé-je vous donner l'exemple de souffrir,
Comme vous me donnez celui de vous offrir[8].

POLYEUCTE

A cet heureux transport que le ciel vous envoie,
710 Je reconnais Néarque et j'en pleure de joie.
Ne perdons plus de temps, le sacrifice est prêt,
Allons-y du vrai Dieu soutenir l'intérêt,
Allons fouler aux pieds ce foudre ridicule
Dont arme un bois pourri ce peuple trop crédule[9],

---

1. Péché. Voir note 2, p. 83. Sur la grâce conférée par le baptême, voir l'entrée « Baptême », p. 202-203.   **2.** Souvenir manifeste du récit de la Pentecôte, au deuxième chapitre des Actes des Apôtres, qui associe le vent de l'Esprit à son apparition sous forme de langues de feu. « On entendit tout d'un coup un grand bruit, comme d'un vent violent et impétueux qui venait du ciel. » Selon toute évidence, Corneille a gardé en mémoire la traduction de la Vulgate : « *Et factus est repente de caelo sonus, tamquam advenientis* spiritus vehementis » (Actes des Apôtres 2, 2)   **3.** Diminuée (cf. l'adjectif « ténu »).   **4.** Comprendre : dans les grandes réalisations. **5.** Comprendre : En qui on ne doit jamais perdre confiance.   **6.** Dans le sens de « pour ». Voir Spillebout, *op. cit.*, p. 328-329.   **7.** Reprise des v. 645-646.   **8.** Voir v. 659-660.   **9.** Le « foudre » indique qu'il s'agit d'une statue (« un bois pourri ») de Jupiter. Première occurrence de la désignation dépréciative des idoles, qui sera le point de départ du discours blasphématoire de Polyeucte rapporté par Stratonice (*infra*, III, 2, v. 836). Cette démythification des faux dieux, constante des récits et des tragédies

715 Allons en éclairer l'aveuglement fatal,
    Allons briser ces dieux de pierre, et de métal,
    Abandonnons nos jours à cette ardeur céleste,
    Faisons triompher Dieu, qu'il dispose du reste.

NÉARQUE
    Allons faire éclater sa gloire aux yeux de tous,
720 Et répondre avec zèle à ce qu'il veut de nous[1].

---

de martyres, est de provenance biblique. L'insistance sur le matériau dont
est constituée l'idole dénonce son origine humaine. Cf., entre beaucoup
d'exemples, Isaïe 31, 7 : « En ce temps-là chacun de vous rejettera ses
idoles d'argent et ses idoles d'or que vous vous étiez faites de vos propres
mains pour commettre un crime en les adorant », ainsi que 45, 20 : « Ceux-
là sont plongés dans l'ignorance, qui élèvent en honneur une sculpture de
bois, et qui adressent leurs prières à un dieu qui ne peut sauver. » L'association précise de la pierre et du métal précieux provient apparemment du
célèbre discours de saint Paul aux Athéniens face aux idoles de l'Aréopage
(Actes des Apôtres 17, 29).
1. Dans l'édition originale de 1643, on trouvait, à la place du v. 720, le
vers suivant : « Allons mourir pour lui comme il est mort pour nous. » Cette
idée reprenait celle du v. 684. « Zèle » : amour.

ACTE III

Scène 1

Que de soucis flottants ! que de confus nuages
Présentent à mes yeux d'inconstantes images !
Douce tranquillité que je n'ose espérer,
Que ton divin rayon tarde à les éclairer !
725 Mille agitations* que mes troubles produisent
Dans mon cœur ébranlé tour à tour se détruisent,
Aucun espoir n'y coule où j'ose persister,
Aucun effroi n'y règne où j'ose m'arrêter ;
Mon esprit embrassant tout ce qu'il s'imagine,
730 Voit tantôt mon bonheur, et tantôt ma ruine *,
Et suit leur vaine[1] idée avec si peu d'effet,
Qu'il ne peut espérer, ni craindre tout à fait.
Sévère incessamment brouille ma fantaisie[2],
J'espère en sa vertu, je crains sa jalousie,
735 Et je n'ose penser que d'un œil bien égal[3]
Polyeucte * en ces lieux puisse voir son rival.
Comme entre deux rivaux la haine est naturelle,
L'entrevue aisément se termine en querelle ;
L'un voit aux mains d'autrui ce qu'il croit mériter,
740 L'autre un désespéré qui peut trop attenter[4] ;
Quelque haute raison qui règle leur courage,

---

1. Sans consistance.   2. Imagination. Sur la dimension symbolique de l'indécision de Pauline, voir Introduction, p. 30.   3. Indifférent (qui voit tout de manière égale).   4. Entreprendre un attentat, une action de vengeance.

L'un conçoit de l'envie [1], et l'autre de l'ombrage,
La honte d'un affront que chacun d'eux croit voir,
Ou de nouveau reçue, ou prête à recevoir [2],
745 Consumant dès l'abord toute leur patience * [3],
Forme de la colère, et de la défiance *,
Et saisissant ensemble, et l'époux, et l'amant,
En dépit d'eux les livre à leur ressentiment.
Mais que je me figure une étrange [4] chimère,
750 Et que je traite mal Polyeucte *, et Sévère,
Comme si la vertu de ces fameux rivaux
Ne pouvait s'affranchir de ces communs défauts !
Leurs âmes à tous deux d'elles-mêmes maîtresses
Sont d'un ordre trop haut pour de telles bassesses,
755 Ils se verront au temple en hommes généreux ;
Mais las ! ils se verront, et c'est beaucoup pour eux.
Que sert à mon époux d'être dans Mélitène
Si contre lui Sévère arme l'aigle romaine,
Si mon père y commande, et craint ce favori,
760 Et se repent déjà du choix de mon mari ?
Si peu que j'ai d'espoir ne luit qu'avec contrainte,
En naissant il avorte, et fait place à la crainte,
Ce qui doit l'affermir sert à le dissiper ;
Dieux, faites que ma peur puisse enfin se tromper.

Scène 2

PAULINE, STRATONICE

PAULINE
765 Mais sachons-en l'issue. Eh bien, ma Stratonice,
Comment s'est terminé ce pompeux sacrifice ?

---

1. Jalousie.   2. Pour Sévère, la honte de l'affront se produit une
seconde fois (« de nouveau reçue ») : la première a eu lieu quand Félix l'a
écarté en raison de son peu de fortune ; la seconde, quand il découvre que,
malgré sa fortune nouvelle, Pauline n'est plus disponible. Polyeucte, lui,
est prêt à recevoir cette honte : il vient d'apprendre que Pauline n'est pas
indifférente à Sévère (v. 615-616, propos que lui-même reprendra aux
v. 1589-1590).   3. Ici, « capacité à supporter les affronts ». « Dès
l'abord » : aussitôt.   4. Ici, saugrenue.

Ces rivaux généreux au temple se sont vus ?

STRATONICE

Ah ! Pauline.

PAULINE

Mes vœux ont-ils été déçus[1] ?
J'en vois sur ton visage une mauvaise marque.
770 Se sont-ils querellés ?

STRATONICE

Polyeucte *, Néarque,
Les chrétiens...

PAULINE

Parle donc, les chrétiens ?

STRATONICE

Je ne puis.

PAULINE

Tu prépares mon âme à d'étranges ennuis[2].

STRATONICE

Vous n'en sauriez avoir une plus juste cause.

PAULINE

L'ont-ils assassiné ?

STRATONICE

Ce serait peu de chose,
775 Tout votre songe est vrai, Polyeucte * n'est plus...

PAULINE

Il est mort ?

STRATONICE

Non, il vit, mais (ô pleurs superflus)
Ce courage si grand, cette âme si divine,

---

1. Trompés (dans le sens où ils n'ont pas été réalisés).   2. A des tourments extraordinaires.

N'est plus digne du jour, ni digne de Pauline
Ce n'est plus cet époux si charmant à vos yeux,
780 C'est l'ennemi commun de l'Etat[1] et des dieux,
Un méchant, un infâme, un rebelle, un perfide[2],
Un traître, un scélérat, un lâche, un parricide[3],
Une peste exécrable à tous les gens de bien,
Un sacrilège impie, en un mot un chrétien.

PAULINE

785 Ce mot aurait suffi sans ce torrent d'injures.

STRATONICE

Ces titres aux chrétiens sont-ce des impostures ?

PAULINE

Il est ce que tu dis, s'il embrasse leur foi,
Mais il est mon époux, et tu parles à moi.

STRATONICE

Ne considérez plus que le dieu qu'il adore.

PAULINE

790 Je l'aimai par devoir, ce devoir dure encore.

STRATONICE

Il vous donne à présent sujet de le haïr,
Qui trahit tous nos[4] dieux aurait pu vous trahir.

---

1. En refusant de reconnaître les dieux romains, les chrétiens se rendaient également ennemis de l'Etat, ce qui explique les persécutions à grande échelle. Cette accusation était bien connue des contemporains de Corneille, familiers de l'*Apologétique* de Tertullien (voir note 2, p. 69), où l'objection trouvait une réplique détaillée.   2. Celui qui trahit la « foi », c'est-à-dire la parole qu'il a donnée.   3. « On ne se sert pas seulement de ce mot pour signifier celui qui a tué son père, comme la composition du mot le porte, mais pour tous ceux qui commettent des crimes énormes et dénaturés de cette espèce, tellement qu'on le dira aussi bien de celui qui aura tué sa mère, son prince, ou trahi sa patrie, que d'un autre qui aurait tué son père ; car tout cela tient lieu de père » (Vaugelas, *Remarques sur la langue française*, 1647).   4. Dans l'édition originale de 1643, « les ».

PAULINE

Je l'aimerais encor quand il m'aurait trahie,
Et si de tant d'amour tu peux être ébahie,
795 Apprends que mon devoir ne dépend point du sien,
Qu'il y manque, s'il veut, je dois faire le mien.
Quoi, s'il aimait ailleurs, serais-je dispensée [1]
A suivre à son exemple une ardeur insensée ?
Quelque chrétien qu'il soit je n'en ai point d'horreur,
800 Je chéris sa personne, et je hais son erreur.
Mais quel ressentiment [2] en témoigne mon père ?

STRATONICE

Une secrète rage, un excès [3] de colère,
Malgré qui [4] toutefois un reste d'amitié
Montre pour Polyeucte * encor quelque pitié ;
805 Il ne veut point sur lui faire agir sa justice,
Que [5] du traître Néarque il n'ait vu le supplice.

PAULINE

Quoi ! Néarque en est donc ?

STRATONICE

                              Néarque l'a séduit [6],
De leur vieille amitié c'est là l'indigne fruit.
Ce perfide tantôt en dépit de lui-même
810 L'arrachant de vos bras le traînait au baptême.
Voilà ce grand secret, et si mystérieux *
Que n'en pouvait tirer votre amour curieux *.

PAULINE

Tu me blâmais alors d'être trop importune.

---

1. Autorisée.   2. Ici, sentiment (sans nuance de « rancœur »). Pauline
s'enquiert simplement de la réaction de son père.   3. Degré extrême
(sans idée de dépassement).   4. Pour « lesquels ». Substitution usuelle
dans la langue de l'époque (voir Spillebout, *op. cit.*, p. 157).   5. Pour
« avant que ».   6. Entraîné au mal. Dans cette acception, le terme fait
partie du vocabulaire religieux de l'époque (le diable « séduit »).

STRATONICE

Je ne prévoyais pas une telle infortune.

PAULINE

815 Avant qu'abandonner[1] mon âme à mes douleurs,
Il me faut essayer la force de mes pleurs,
En qualité de femme, ou de fille, j'espère
Qu'ils vaincront un époux, ou fléchiront un père ;
Que si sur l'un et l'autre ils manquent de pouvoir,
820 Je ne prendrai conseil que de mon désespoir[2].
Apprends-moi cependant ce qu'ils ont fait au temple.

STRATONICE

C'est une impiété * qui n'eut jamais d'exemple,
Je ne puis y penser sans frémir à l'instant,
Et crains de faire un crime[3] en vous la racontant.
825 Apprenez en deux mots leur brutale insolence[4].
Le prêtre avait à peine obtenu du silence,
Et devers l'orient * assuré son aspect[5],
Qu'ils ont fait éclater leur manque de respect.
A chaque occasion * de la cérémonie,
830 A l'envi l'un et l'autre étalait sa manie[6],
Des mystères sacrés hautement se moquait,
Et traitait de mépris les dieux qu'on invoquait.
Tout le peuple en murmure[7] et Félix s'en offense,
Mais tous deux s'emportant à plus d'irrévérence,
835 "Quoi ? lui dit Polyeucte * en élevant sa voix,
Adorez-vous des dieux, ou de pierre, ou de bois ?"

---

1. Pour « avant d'abandonner ». Construction usuelle dans la langue de
l'époque (voir Spillebout, *op. cit.*, p. 288-289).   2. Comprendre : C'est
mon désespoir qui m'enseignera la décision que je dois prendre. « Prendre
conseil » signifie « prendre une décision ». Pauline envisage ici l'éventualité
du suicide (voir note 1, p. 78).   3. Péché. Voir note 2, p. 83.
4. Dans la langue de l'époque, le terme désigne un manque de respect
impliquant une agression très forte.   5. Regard. L'usage païen de tourner le regard vers l'orient pour prier était bien connu des contemporains
de Corneille, comme l'attestent les commentaires du savant Vossius (*De
idolatriae origine*, 1641, II, 3, p. 320-321). La description du déroulement
du sacrifice (vases, encens, vin) correspond à celles que livrent les ouvrages
spécialisés de l'époque (voir, en particulier, le chapitre XVII « *De sacrificiis* »
dans L. G. Giraldi, *De deis gentium*, 1548).   6. « Emportement et dérè-
glement de l'esprit » (Furetière).   7. Proteste bruyamment.

Ici dispensez-moi du récit des blasphèmes
Qu'ils ont vomis tous deux contre Jupiter même[1],
L'adultère et l'inceste en étaient les plus doux[2].
840 "Oyez, dit-il ensuite, oyez, peuple, oyez tous.
Le Dieu de Polyeucte * et celui de Néarque
De la terre et du ciel est l'absolu monarque,
Seul être indépendant, seul maître du destin,
Seul principe éternel, et souveraine fin[3].
845 C'est ce Dieu des chrétiens qu'il faut qu'on remercie
Des victoires qu'il donne à l'empereur Décie,
Lui seul tient en sa main le succès des combats[4],
Il le veut élever, il le peut mettre à bas,
Sa bonté, son pouvoir, sa justice est immense[5],

---

1. Dans toutes les éditions du XVIIe siècle, on trouve « mêmes », forme courante du terme dans la langue de l'époque (voir Haase, *op. cit.*, p. 112). Corneille a choisi cette variante graphique pour permettre la rime avec « blasphèmes » (dans la prosodie de l'époque, la consonne finale du vers se prononce).　　2. Les mœurs corrompues que les fables attribuent aux dieux sont un lieu commun, ainsi que l'attestent notamment les critiques de Platon, lesquelles, il est vrai, mettent en cause les poètes bien plus que les dieux (*République*, II, 177 c *sq.*). Les apologistes chrétiens reprendront ce thème et en feront un des principaux arguments contre la religion païenne. Cf. Tertullien, *Apologétique*, 15, 2, éd. cit., p. 49 : « Les pièces jouées par les pantomimes montrent toutes les turpitudes de vos dieux » et *passim*. Le thème deviendra par la suite un *topos* de la tragédie à martyre du XVIIe siècle européen.　　3. Dans l'édition originale de 1643, les v. 843-844 étaient formulés comme suit : « Seul maître du destin, seul être indépendant, / Substance qui jamais ne reçoit d'accident. » Ces termes issus de la théologie scolastique ont été supprimés. La référence au Dieu unique, créateur du monde, inaugure traditionnellement la profession de foi du martyr, qui signe, dans l'affirmation du monothéisme, sa particularité à l'endroit de la religion traditionnelle. Cf. Tertullien, *Apologétique*, 17, 1, éd. cit., p. 55 : « Ce que nous adorons, c'est un Dieu unique, qui, par sa parole qui a commandé, par sa raison qui a disposé, par sa vertu qui a pu tout, a tiré du néant tout cet édifice gigantesque avec tout l'appareil des éléments, des corps, des esprits, pour servir d'ornement à sa majesté. »　　4. La métaphore de la *main de Dieu* (voir v. 27) est, tout au long des livres historiques de la Bible, associée aux succès militaires d'Israël. Constante que résume ainsi l'Ecclésiastique, 10, 4 : « Le pouvoir souverain sur un pays est dans la main de Dieu. » « Succès » : issue.　　5. L'accord au singulier de plusieurs sujets juxtaposés est une tournure fréquente dans la langue de l'époque (voir Spillebout, *op. cit.* p. 392). Le v. 848 est un souvenir du Magnificat : « Il a arraché les grands de leur trône, et il a élevé les petits » (Evangile selon saint Luc 1, 52).

850 C'est lui seul qui punit, lui seul qui récompense,
Vous adorez en vain des monstres impuissants[1]."
Se jetant à ces mots sur le vin, et l'encens,
Après en avoir mis les saints vases par terre
Sans crainte de Félix, sans crainte du tonnerre,
855 D'une fureur pareille ils courent à l'autel.
Cieux, a-t-on vu jamais, a-t-on rien vu de tel ?
Du plus puissant des dieux[2] nous voyons la statue
Par une main impie à leurs pieds abattue,
Les mystères[3] troublés, le temple profané,
860 La fuite et les clameurs d'un peuple mutiné,
Qui craint d'être accablé sous le courroux céleste,
Félix... mais le voici qui vous dira le reste.

PAULINE

Que son visage est sombre, et plein d'émotion * !
Qu'il montre de tristesse et d'indignation * !

Scène 3

FÉLIX, PAULINE, STRATONICE

FÉLIX

865 Une telle insolence avoir osé paraître !
En public ! à ma vue ! il en mourra, le traître.

PAULINE

Souffrez que votre fille embrasse vos genoux.

FÉLIX

Je parle de Néarque, et non de votre époux.
Quelque indigne qu'il soit de ce doux nom de gendre,
870 Mon âme lui conserve un sentiment plus tendre,
La grandeur de son crime et de mon déplaisir
N'a pas éteint l'amour qui me l'a fait choisir.

---

1. Voir v. 1217.   **2.** Jupiter.   **3.** Cérémonies.

Du plus puissant des dieux nous voyons la statue
Par une main impie à leurs pieds abattue

PAULINE

Je n'attendais pas moins de la bonté d'un père.

FÉLIX

Je pouvais l'immoler à ma juste colère,
875 Car vous n'ignorez pas à quel comble d'horreur
De son audace impie a monté la fureur[1],
Vous l'avez pu savoir, du moins de Stratonice.

PAULINE

Je sais que de Néarque il doit voir le supplice.

FÉLIX

Du conseil[2] qu'il doit prendre il sera mieux instruit,
880 Quand il verra punir celui qui l'a séduit[3].
Au spectacle sanglant d'un ami qu'il faut suivre,
La crainte de mourir et le désir de vivre
Ressaisissent une âme avec tant de pouvoir,
Que qui voit le trépas cesse de le vouloir.
885 L'exemple touche plus que ne fait la menace,
Cette indiscrète[4] ardeur tourne bientôt en glace,
Et nous verrons bientôt son cœur inquiété *[5]
Me demander pardon de tant d'impiété *.

PAULINE

Vous pouvez espérer qu'il change de courage[6] ?

FÉLIX

890 Aux dépens de Néarque il doit se rendre sage.

PAULINE

Il le doit, mais hélas ! où me renvoyez-vous,
Et quels tristes hasards[7] ne court point mon époux,
Si de son inconstance il faut qu'enfin j'espère

---

1. Selon le droit romain, la profanation des monuments sacrés publics était
un sacrilège passible de la peine de mort (*Digeste*, XLVIII, 13).   2. Décision.   3. Induit au mal.   4. Peu raisonnable.   5. Tourmenté.
6. Cœur (ici, dans le sens de « dispositions intérieures »).   7. Dangers.
« Tristes » : funestes.

Le bien que j'espérais de la bonté d'un père [1] ?

FÉLIX

895 Je vous en [2] fais trop voir, Pauline, à consentir
Qu'il évite la mort par un prompt repentir,
Je devais même peine à des crimes semblables
Et mettant différence entre ces deux coupables,
J'ai trahi la justice à [3] l'amour paternel,
900 Je me suis fait pour lui moi-même criminel,
Et j'attendais de vous au milieu de vos craintes
Plus de remerciements, que je n'entends de plaintes.

PAULINE

De quoi remercier * qui ne me donne rien ?
Je sais quelle est l'humeur [4], et l'esprit d'un chrétien,
905 Dans l'obstination * jusqu'au bout il demeure,
Vouloir son repentir, c'est ordonner qu'il meure.

FÉLIX

Sa grâce est en sa main, c'est à lui d'y rêver [5].

PAULINE

Faites-la tout entière.

FÉLIX

　　　　　　　Il la peut achever.

PAULINE

Ne l'abandonnez pas aux fureurs [6] de sa secte.

FÉLIX

910 Je l'abandonne aux lois qu'il faut que je respecte.

---

1. Pauline est confrontée à une impasse. Félix refuse catégoriquement de renoncer à punir Polyeucte par simple bonté paternelle ; il prétend ne le faire qu'à la condition que Polyeucte abjure son christianisme. Ce qui implique que Polyeucte accepte d'être inconstant, chose inimaginable pour un héros.　2. Fait référence à « bonté » (v. 894).　3. Au profit de. Il s'agit d'une forme de complément attributif indiquant le bénéficiaire de la trahison.　4. Voir note 4, p. 81.　5. Méditer (sans nuance onirique).
6. Folies.

PAULINE

Est-ce ainsi que d'un gendre un beau-père est
[l'appui ?

FÉLIX

Qu'il fasse autant pour soi, comme[1] je fais pour lui.

PAULINE

Mais il est aveuglé.

FÉLIX

                     Mais il se plaît à l'être.
Qui chérit son erreur ne la veut pas connaître[2].

PAULINE

915 Mon père, au nom des dieux...

FÉLIX

                              Ne les réclamez[3] pas,
Ces dieux, dont l'intérêt demande son trépas.

PAULINE

Ils écoutent nos vœux.

FÉLIX

                       Eh bien, qu'il leur en fasse[4].

PAULINE

Au nom de l'empereur dont vous tenez la place.

---

1. Pour « autant... que ». Formule archaïque au XVIIᵉ siècle (selon Spillebout, *op. cit.*, p. 346).   2. Maxime. Voir note 5, p. 64.   3. « Invoquer, appeler quelqu'un à son secours. On réclame dans l'affliction toutes
les puissances du ciel et de la terre » (Furetière).   4. Félix répond en
jouant sur le sens du terme « vœu ». Pauline parle des « souhaits, prières »
(Furetière) ; Félix, lui, des « dons, promesses que l'on fait à Dieu [aux
dieux] de sa personne, ou des choses dont on peut disposer ». Il souhaite
que Polyeucte, en faisant des « vœux », abjure son christianisme (Dèce, en
effet avait décrété que tous ses sujets devaient « faire des vœux » aux dieux
devant témoins, ce qui permettait d'identifier les chrétiens).

FÉLIX

J'ai son pouvoir en main, mais s'il me l'a commis [1],
920 C'est pour le déployer contre ses ennemis.

PAULINE

Polyeucte * l'est-il ?

FÉLIX

Tous chrétiens sont rebelles.

PAULINE

N'écoutez point pour lui ces maximes cruelles,
En épousant Pauline, il s'est fait votre sang.

FÉLIX

Je regarde sa faute, et ne vois plus son rang.
925 Quand le crime d'Etat se mêle au sacrilège [2],
Le sang ni l'amitié n'ont plus de privilège.

PAULINE

Quel excès de rigueur !

FÉLIX

Moindre que son forfait.

PAULINE

O de mon songe affreux trop véritable effet [3] !
Voyez-vous qu'avec lui vous perdez votre fille ?

FÉLIX

930 Les dieux et l'empereur sont plus que ma famille.

PAULINE

La perte de tous deux ne vous peut arrêter !

---

1. Confié. Même si aucune didascalie ne l'indique, il est vraisemblable que
Félix brandit, à ce moment, un bâton de commandement. Voir, à ce sujet,
note 5, p. 157.   2. Polyeucte est doublement coupable : il est criminel
d'Etat, parce qu'il ne respecte pas les édits de l'empereur Decius qui interdisent le christianisme ; et il a commis un sacrilège en s'attaquant aux
objets du culte (voir note 1, p. 107).   3. Concrétisation.

FÉLIX

J'ai les dieux et Décie ensemble à redouter.
Mais nous n'avons encore à craindre rien de triste[1],
Dans son aveuglement pensez-vous qu'il persiste ?
935 S'il nous semblait tantôt courir à son malheur,
C'est d'un nouveau chrétien la première chaleur[2].

PAULINE

Si vous l'aimez encor, quittez cette espérance
Que deux fois en un jour il change de croyance !
Outre que les chrétiens ont plus de dureté[3],
940 Vous attendez de lui trop de légèreté.
Ce n'est point une erreur avec le lait sucée[4],
Que sans l'examiner son âme ait embrassée,
Polyeucte * est chrétien, parce qu'il l'a voulu,
Et vous portait au temple un esprit résolu.
945 Vous devez présumer de lui comme du reste,
Le trépas n'est pour eux, ni honteux, ni funeste,
Ils cherchent de la gloire à mépriser nos[5] dieux,
Aveugles pour la terre, ils aspirent aux cieux,
Et croyant que la mort leur en ouvre la porte,
950 Tourmentés, déchirés, assassinés, n'importe,
Les supplices leur sont ce qu'à nous les plaisirs,
Et les mènent au but où tendent leurs désirs,
La mort la plus infâme, ils l'appellent martyre[6].

---

1. Ici, funeste.   2. « Se dit aussi des passions passagères qui viennent
par un prompt mouvement, ou qui sont attribuées à l'âge ou au tempérament » (Furetière).   3. Dans le sens de « fermeté ». Voir également
v. 1690. Ce terme, équivalent du latin *duritas*, renvoie à l'obstination fréquemment imputée aux chrétiens par leurs ennemis. On le trouve déjà dans
le *Polietto* de G. Bartolommei (« *ostinata sua durezza* », éd. cit. p. 334).
4. Comprendre : La foi de Polyeucte n'est point une erreur à laquelle il
adhère depuis sa plus tendre enfance, qu'il aurait héritée de ses parents à
l'âge où sa mère l'allaitait. Métaphore courante : Furetière donne « nous
sommes fort préoccupés des opinions que nous avons sucées avec le
lait ».   5. Edition originale de 1643 : « les ». Voir également note 4,
p. 101.   6. Dans la logique de la comparaison antinomique supplice /
plaisir, il est évident que le martyre apparaît comme l'exacte antithèse de
la mort. Le paradoxe des souffrances converties en délices, qui deviendra
rapidement un lieu commun de la tragédie à martyre, est déjà exploité par
Tertullien dans son *Apologétique* : « S'il est dénoncé, le chrétien s'en fait
gloire ; s'il est accusé, il ne s'en défend pas ; interrogé, il confesse de lui-
même sa foi ; condamné, il rend grâces » (I, 12, éd. cit., p. 7). Sur ce

FÉLIX

Eh bien donc Polyeucte * aura ce qu'il désire,
955 N'en parlons plus.

PAULINE
Mon père.

Scène 4

FÉLIX, ALBIN, PAULINE, STRATONICE

FÉLIX

                Albin, en est-ce fait ?

ALBIN

Oui, Seigneur, et Néarque a payé son forfait.

FÉLIX

Et notre Polyeucte * a vu trancher sa vie ?

ALBIN

Il l'a vu, mais hélas ! avec un œil d'envie.
Il brûle de le suivre, au lieu de reculer,
960 Et son cœur s'affermit, au lieu de s'ébranler.

PAULINE

Je vous le disais bien ; encore un coup, mon père,
Si jamais mon respect a pu vous satisfaire,
Si vous l'avez prisé, si vous l'avez chéri...

FÉLIX

Vous aimez trop, Pauline, un indigne mari.

PAULINE

965 Je l'ai de votre main, mon amour est sans crime[1],

---

caractère paradoxal du martyre et de la souffrance pour les chrétiens, voir
également Introduction, p. 23-24.
1. Faute.

Il est de votre choix la glorieuse * estime [1],
Et j'ai, pour l'accepter, éteint le plus beau feu
Qui d'une âme bien née ait mérité l'aveu [2].
Au nom de cette aveugle et prompte obéissance,
970 Que j'ai toujours rendue aux lois de la naissance [3],
Si vous avez pu tout, sur moi, sur mon amour,
Que je puisse sur vous quelque chose à mon tour.
Par ce juste pouvoir à présent trop à craindre,
Par ces beaux sentiments qu'il m'a fallu contraindre,
975 Ne m'ôtez pas vos dons, ils sont chers à mes yeux,
Et m'ont assez coûté, pour m'être précieux *.

FÉLIX

Vous m'importunez [4] trop ; bien que j'aie un cœur
                                          [tendre,
Je n'aime la pitié qu'au prix que j'en veux prendre [5],
Employez mieux l'effort [6] de vos justes douleurs,
980 Malgré moi m'en toucher, c'est perdre, et temps, et
                                          [pleurs ;
J'en veux être le maître, et je veux bien qu'on sache,
Que je la [7] désavoue, alors qu'on me l'arrache.
Préparez-vous à voir ce malheureux chrétien,
Et faites votre effort, quand j'aurai fait le mien,
985 Allez, n'irritez plus un père qui vous aime,
Et tâchez d'obtenir votre époux de lui-même,
Tantôt jusques ici je le ferai venir,
Cependant quittez-nous, je veux l'entretenir.

PAULINE

De grâce permettez...

FÉLIX

                    Laissez-nous seuls, vous dis-je,
990 Votre douleur m'offense autant qu'elle m'afflige,

---

1. Comprendre : Il rend honneur à votre choix.   2. Approbation.
3. C'est-à-dire les lois qui veulent que les enfants doivent obéissance aux
parents dont ils sont nés.   4. Vous m'êtes extrêmement désagréable.
Sens plus fort que le sens actuel.   5. Comprendre : Je n'aime la pitié
que dans la mesure où je peux en rester maître, je n'aime pas la pitié qu'on
cherche à m'imposer. Expression à connotation mercantile.   6. Ici,
l'énergie que vous procurent...   7. Se rapporte à « pitié » au v. 978.

A gagner Polyeucte * appliquez tous vos soins,
Vous avancerez plus en m'importunant moins.

Scène 5

FÉLIX, ALBIN

FÉLIX

Albin, comme[1] est-il mort ?

ALBIN

En brutal[2], en impie,
En bravant les tourments, en dédaignant la vie,
995 Sans regret, sans murmure, et sans étonnement[3],
Dans l'obstination *, et l'endurcissement[4],
Comme un chrétien enfin, le blasphème à la bouche.

FÉLIX

Et l'autre ?

ALBIN

Je l'ai dit déjà, rien ne le touche,
Loin d'en être abattu, son cœur en est plus haut,
1000 On l'a violenté * pour quitter l'échafaud,
Il est dans la prison où je l'ai vu conduire,
Mais vous êtes bien loin encor de le réduire[5].

---

1. « Comme » pour « comment ». Tournure fréquente dans la langue de l'époque (Spillebout, *op. cit.* p. 388-389).   2. Comme une bête brute.
3. Sans en être troublé. « Murmure » : protestation.   4. Le terme fait partie du vocabulaire religieux. L'endurcissement correspond à la situation du pécheur qui s'est complu trop longtemps dans le péché et est parvenu à un point de non-retour. « On désespère du salut d'une âme quand elle est tombée dans l'endurcissement » (Furetière). « Obstination » (latin : *obstinatio*) est le terme qu'emploie Tertullien pour désigner le reproche principal que les Romains formulaient à l'endroit des chrétiens (*Apologétique*, 50, 15). Voir également v. 905.   5. Ramener à la raison.

FÉLIX

Que je suis malheureux !

ALBIN

Tout le monde vous plaint.

FÉLIX

On ne sait pas les maux dont mon cœur est atteint.
1005 De pensers sur pensers mon âme est agitée,
De soucis sur soucis elle est inquiétée * [1] ;
Je sens l'amour, la haine, et la crainte, et l'espoir,
La joie, et la douleur tour à tour l'émouvoir.
J'entre en des sentiments qui ne sont pas croyables,
1010 J'en ai de violents *, j'en ai de pitoyables [2],
J'en ai de généreux qui n'oseraient agir,
J'en ai même de bas, et qui me font rougir.
J'aime ce malheureux que j'ai choisi pour gendre,
Je hais l'aveugle erreur qui le vient de surprendre,
1015 Je déplore sa perte, et le voulant sauver,
J'ai la gloire des dieux ensemble à conserver,
Je redoute leur foudre, et celui de Décie,
Il y va de ma charge, il y va de ma vie :
Ainsi tantôt pour lui je m'expose au trépas,
1020 Et tantôt je le perds, pour ne me perdre pas.

ALBIN

Décie excusera l'amitié d'un beau-père,
Et d'ailleurs Polyeucte * est d'un sang qu'on révère.

FÉLIX

A punir les chrétiens son ordre est rigoureux,
Et plus l'exemple est grand, plus il est dangereux.
1025 On ne distingue [3] point quand l'offense est publique,
Et lorsqu'on dissimule un crime domestique,
Par quelle autorité peut-on, par quelle loi,
Châtier * en autrui ce qu'on souffre [4] chez soi ?

---

1. Tourmentée.   2. Compatissants (qui éprouvent la pitié, et non qui
inspirent la pitié).   3. Comprendre : On ne fait pas de distinctions
(sous-entendu, entre ses proches et les autres).   4. Tolère.

ALBIN

Si vous n'osez avoir d'égard à sa personne,
1030 Ecrivez à Décie afin qu'il en ordonne.

FÉLIX

Sévère me perdrait si j'en usais ainsi,
Sa haine et son pouvoir font mon plus grand souci,
Si j'avais différé de punir un tel crime,
Quoiqu'il soit généreux, quoiqu'il soit magnanime,
1035 Il est homme, et sensible, et je l'ai dédaigné,
Et de tant de mépris son esprit indigné,
Que met au désespoir cet hymen de Pauline,
Du courroux de Décie obtiendrait ma ruine *.
Pour venger un affront tout semble être permis,
1040 Et les occasions * tentent les plus remis[1].
Peut-être (et ce soupçon n'est pas sans apparence[2])
Il rallume en son cœur déjà quelque espérance,
Et croyant bientôt voir Polyeucte * puni,
Il rappelle un amour à grand peine banni.
1045 Juge si sa colère en ce cas implacable
Me ferait innocent, de sauver un coupable,
Et s'il m'épargnerait voyant par mes bontés
Une seconde fois ses desseins avortés.
Te dirai-je un penser indigne, bas, et lâche ?
1050 Je l'étouffe, il renaît, il me flatte[3], et me fâche.
L'ambition * toujours me le vient présenter,
Et tout ce que je puis, c'est de le détester[4].
Polyeucte * est ici l'appui de ma famille,
Mais si par son trépas l'autre épousait ma fille,
1055 J'acquerrais bien par là de plus puissants appuis
Qui me mettraient plus haut cent fois, que je ne suis.
Mon cœur en prend par force une maligne joie ;
Mais que plutôt le ciel à tes yeux me foudroie,
Qu'à des pensers si bas je puisse consentir,
1060 Que jusque-là ma gloire[5] ose se démentir.

---

1. Posés, tranquilles.   2. Vraisemblance.   3. Il cherche à me séduire.
4. Rejeter, réprouver (dans la langue de l'époque, le terme désigne un acte
de parole, et non un sentiment).   5. Ici, réputation.

ALBIN

Votre cœur est trop bon[1], et votre âme trop haute,
Mais vous résolvez-vous à punir cette faute ?

FÉLIX

Je vais dans la prison faire tout mon effort
A vaincre cet esprit par l'effroi de la mort,
1065 Et nous verrons après ce que pourra Pauline.

ALBIN

Que ferez-vous enfin si toujours il s'obstine ?

FÉLIX

Ne me presse point tant, dans un tel déplaisir
Je ne puis que résoudre[2], et ne sais que choisir.

ALBIN

Je dois vous avertir en serviteur fidèle
1070 Qu'en sa faveur déjà la ville se rebelle,
Et ne peut voir passer par la rigueur des lois
Sa dernière espérance et le sang de ses rois.
Je tiens sa prison même assez mal assurée,
J'ai laissé tout autour une troupe éplorée,
1075 Je crains qu'on ne la[3] force.

FÉLIX

                               Il faut donc l'en tirer,
Et l'amener ici pour nous en assurer[4].

ALBIN

Tirez-l'en donc vous-même, et d'un espoir de grâce
Apaisez la fureur de cette populace.

FÉLIX

Allons, et s'il persiste à demeurer chrétien,
1080 Nous en disposerons, sans qu'elle en sache rien.

---

1. Voir note 6, p. 72.   2. Je suis incapable de prendre une décision.   3. Se rapporte à « prison » (v. 1073). Albin craint que le peuple
attroupé (v. 1074) n'assaille la prison et ne libère Polyeucte.   4. Comprendre : détenir Polyeucte sous bonne garde.

ACTE IV

Scène 1

POLYEUCTE, CLÉON, TROIS AUTRES GARDES

POLYEUCTE

Gardes, que me veut-on ?

CLÉON

            Pauline vous demande.

POLYEUCTE

O présence, ô combat[1] que sur tout j'appréhende !
Félix, dans la prison j'ai triomphé de toi,
J'ai ri de ta menace, et t'ai vu sans effroi,
1085 Tu prends pour t'en venger de plus puissantes armes,
Je craignais beaucoup moins tes bourreaux, que ses
                                [larmes[2].
Seigneur, qui vois ici les périls que je cours,
En ce pressant besoin redouble ton secours.
Et toi qui tout sortant encor de la victoire
1090 Regardes mes travaux du séjour de la gloire[3],

---

1. On se souviendra que le récit de Surius s'intitule « Certamen [combat] *Sancti Martyris Polyeuctis* ». Cette image du combat est très présente chez saint Paul qui l'associe fréquemment au don de la grâce. Ainsi, par exemple, dans la Seconde épître aux Corinthiens (10, 3) : « Car encore que nous vivions dans la chair, nous ne *combattons* pas selon la chair. »   2. Cf. v. 17.   3. Ici, dans le sens théologique de « gloire de Dieu » (voir note 3, p. 59). « Travaux » : « Se dit au pluriel des actions, de la vie d'une personne et particulièrement des gens héroïques [...]. Les martyrs jouissent du fruit de leurs travaux » (Furetière).

Cher Néarque, pour vaincre un si fort ennemi[1],
Prête du haut du ciel la main à ton ami[2].
Gardes, oseriez-vous me rendre un bon office ?
Non pour me dérober aux rigueurs du supplice,
1095 Ce n'est pas mon dessein qu'on me fasse évader !
Mais comme il suffira de trois à me garder,
L'autre m'obligerait d'aller quérir Sévère ;
Je crois que sans péril on peut me satisfaire,
Si j'avais pu lui dire un secret important,
1100 Il vivrait plus heureux, et je mourrais content.

CLÉON
Si vous me l'ordonnez j'y cours en diligence.

POLYEUCTE
Sévère à mon défaut[3] fera ta récompense,
Va, ne perds point de temps, et reviens promptement.

CLÉON
Je serai de retour, Seigneur, dans un moment.

Scène 2

POLYEUCTE seul,
Les gardes se retirent aux coins du théâtre[4].

1105 Source[5] délicieuse * en misères féconde,

---

1. Voir note 2, p. 58 et v. 53 et 104.   2. Ces six derniers vers constituent une forme de prière : Polyeucte s'adresse à Dieu, puis à Néarque, désormais au rang des bienheureux, pour leur demander leur aide. Le recours à Néarque s'appuie sur le dogme de la communion des saints. Voir Dossier, « Documents », p. 205-206.   3. Comprendre : Lorsque je ne serai plus là.   4. Les vers qui suivent constituent des stances, structure formelle propre au théâtre du XVIIe siècle, qui se définit par une organisation en strophes hétérométriques (comportant des vers de longueurs variées avec différentes combinaisons de rimes), dont chacune développe une idée propre. Elles sont presque toujours, comme ici, consacrées à un monologue réservé à un des premiers acteurs de la pièce, et constituent par là même une pause lyrique : le personnage y « chante » son état d'âme, sans que cet épanchement ait une influence sur la suite de l'action (les stances n'aboutissent pas à une prise de décision).   5. Utilisé ici métaphoriquement dans son sens de « lieu d'où quelque chose procède » (Furetière).

Que voulez-vous de moi, flatteuses[1] voluptés ?
Honteux attachements de la chair et du monde,
Que ne me quittez-vous quand je vous ai quittés ?
Allez, honneurs, plaisirs, qui me livrez la guerre,
1110   Toute votre félicité
          Sujette à l'instabilité
          En moins de rien tombe par terre,
          Et comme elle a l'éclat du verre,
          Elle en a la fragilité[2].

1115 Ainsi n'espérez pas qu'après vous je soupire,
     Vous étalez en vain vos charmes[3] impuissants,
     Vous me montrez en vain par tout ce vaste empire
     Les ennemis de Dieu pompeux[4] et florissants ;
     Il étale à son tour des revers équitables
1120   Par qui les grands sont confondus,
          Et les glaives qu'il tient pendus
          Sur les plus fortunés[5] coupables,

---

1. Qui bercent d'illusions. On reconnaît dans l'apostrophe initiale de cette première stance le motif du monde trompeur, dont les délices apparentes sont sources d'amertume et de venin. Dans *L'Imitation de Jésus-Christ*, le chrétien doit se souvenir « que *l'attachement* à leurs *douceurs* profanes / Souille ta conscience et t'éloigne de Dieu » (I, 2, v. 69-70). Sur la nécessité, pour le chrétien, de dépasser les avantages du monde présent, voir également, *ibid.*, III, 49 ; III, 53-55. Pour l'opposition entre Ciel et Monde, voir Introduction, p. 20-27.   2. Cette comparaison a une longue tradition dans la culture chrétienne. On la trouve chez saint Augustin (*Cité de Dieu*, IV, 3). Quelques années avant *Polyeucte*, elle avait été utilisée par Malherbe dans sa « Paraphrase du psaume CXLV » et par Antoine Godeau dans son « Ode au roi » (1628), strophe 33.   3. Sortilèges (au premier sens, le terme signifie, comme le rappelle Furetière, une « puissance magique par laquelle, avec l'aide des démons, les sorciers font des choses merveilleuses, au-dessus des forces ou contre l'ordre de la nature »). « Etalez » : « Se dit figurément en choses morales de ce dont on fait vanité, parade, de ce qu'on met en montre » (Furetière).   4. Triomphants.   5. Ceux qui ont eu de la chance jusqu'à maintenant. L'image du glaive ou de l'épée est d'origine biblique (voir notamment Evangile selon saint Matthieu 10, 34 : « Ne pensez pas que je sois venu apporter la paix sur la terre ; je ne suis pas venu y apporter la paix, mais l'épée »). Dans la littérature médiévale, elle devient symbole du châtiment divin (voir Hervé Martin, *Le Métier de prédicateur à la fin du Moyen Age*, Paris, Cerf, 1988, p. 195). Dieu, ou un ange exterminateur, darde sur les pécheurs trois glaives qui, en référence aux trois chevaux de l'Apocalypse (6, 3-7),

Sont d'autant plus inévitables,
Que leurs coups sont moins attendus.

1125 Tigre altéré[1] de sang, Décie impitoyable,
Ce Dieu t'a trop longtemps abandonné les siens,
De ton heureux destin vois la suite effroyable,
Le Scythe va venger la Perse, et les chrétiens.
Encore un peu plus outre, et ton heure est venue[2],
1130   Rien ne t'en saurait garantir,
        Et la foudre qui va partir,
        Toute prête à crever la nue,
        Ne peut plus être retenue
        Par l'attente du repentir[3].

1135 Que cependant Félix m'immole à ta colère,
Qu'un rival plus puissant éblouisse ses yeux,
Qu'aux dépens de ma vie il s'en fasse beau-père,
Et qu'à titre d'esclave il commande en ces lieux[4] ;

---

correspondent à la mort, la famine et la peste. Ce motif est très présent
dans l'iconographie jusqu'à la période baroque. Cf. également *L'Imitation
de Jésus-Christ* (I, 23, v. 2046-2052).
1. Assoiffé. Le tigre est traditionnellement invoqué, dans le style tragique
de l'époque, pour dénoncer la cruauté (voir également v. 1585). **2.** L'empereur Decius est effectivement mort, en 251, au cours d'une
bataille contre les Scythes. L'historien Coëffeteau, contemporain de Cor-
neille, rapporte ainsi cet événement : « Il sembla que Dieu se voulût
servir de son ambition pour punir l'impiété de Décius et pour châtier
les excessives cruautés qu'en un règne de si peu de durée il avait exercées
contre les chrétiens et contre l'Eglise qu'il s'efforça d'opprimer » (*Histoire
romaine*, 1621). L'idée de la vengeance de Dieu sur Dèce est un lieu
commun qu'on retrouve dans les histoires de l'Eglise de l'époque, en
premier lieu Baronius (voir note 7, p. 40), à l'année 254.   **3.** Jusqu'à
maintenant Dieu retenait son bras, parce qu'il attendait patiemment que
Décie se repente. Désormais sa patience est à bout. La prophétie des
échecs militaires dans lesquels Polyeucte voit un châtiment divin s'exprime en termes bibliques. Cf. Deutéronome 32, 22 : « Ma fureur s'est
allumée comme un feu ; [...] elle dévorera la terre avec ses moindres
herbes ; elle embrasera les montagnes jusque dans leurs fondements »,
ainsi que Deutéronome 32, 41 : « Si je rends mon épée aussi pénétrante
que les éclairs [...] je me vengerai de mes ennemis. »   **4.** Même s'il
assoit son pouvoir en donnant sa fille au nouveau favori de l'empereur,
Félix n'en sera pas moins l'esclave de cet empereur à qui la province
d'Arménie est assujettie.

.   Je consens, ou plutôt j'aspire à ma ruine *,
1140   Monde, pour moi tu n'as plus rien,
          Je porte en un cœur tout chrétien
          Une flamme toute divine,
          Et je ne regarde Pauline
          Que comme un obstacle à mon bien.

1145 Saintes douceurs du ciel, adorables idées[1],
       Vous remplissez un cœur qui vous peut recevoir,
       De vos sacrés attraits les âmes possédées
       Ne conçoivent plus rien qui les puisse émouvoir.
       Vous promettez beaucoup et donnez davantage,
1150   Vos biens ne sont point inconstants,
          Et l'heureux trépas que j'attends
          Ne vous sert que d'un doux passage
          Pour nous introduire au partage[2]
          Qui nous rend à jamais contents.

1155 C'est vous, ô feu divin que rien ne peut éteindre[3],

---

1. La désignation des biens célestes comme « idées » est une manière de
parler de la sagesse divine en tant qu'elle contient la notion de toutes choses
ordonnées à leur fin ultime, qui n'est autre que Dieu lui-même. On exclura
donc l'interprétation platonicienne que pourrait suggérer un tel passage.
Les « idées » ne renvoient pas, ici, à un univers de formes situées entre le
« Formateur » du monde et l'univers sensible. Elles expriment la perspective
téléologique et eschatologique inscrite d'une part dans la création, d'autre
part dans l'itinéraire de l'homme appelé à se convertir à Dieu. On rappro-
chera ce vers d'un passage de *L'Imitation*, I, 22, v. 1864-1871, p. 861 :
« Les Saints, les vrais Dévots savaient mieux *de leur être* / *Remplir* toute la
Dignité, / Et pour ces vains attraits ils ne faisaient paraître / Qu'entière
insensibilité. / Ils dédaignaient de perdre un moment *aux idées* / *Des biens
passagers* et charnels, / Et leurs intentions d'un saint espoir guidées /
Volaient sans cesse *aux éternels*. »   2. C'est-à-dire ce qu'on appelle « le
partage des cieux » (« on dit figurément que le Ciel est notre partage pour
dire que nous le posséderons si nous vivons chrétiennement », Furetière).
« Partage » signifie dans ce sens la « possession qui nous revient de droit, en
tant que chrétiens » (sur le modèle de l'héritage).   3. La présence de
Dieu manifestée sous le signe du feu remonte à l'épisode de Moïse face au
buisson ardent : « Alors le Seigneur lui apparut dans une flamme de feu
qui sortait du milieu d'un buisson ; et il voyait brûler le buisson sans qu'il
fût consommé » (Exode 3, 2). Toutefois l'expression *feu divin* renvoie ici
plus explicitement à l'Esprit saint, manifesté à la Pentecôte sous la forme
de flammes (Acte des Apôtres 2, 3). L'hymne du *Veni, Creator* a pu servir
de relais à cette métaphore que l'on retrouve constamment dans la littéra-

Qui m'allez faire voir Pauline sans la craindre,
Je la vois, mais mon cœur d'un saint zèle [1] enflammé,
N'en goûte plus l'appas dont il était charmé [2] ;
Et mes yeux éclairés des célestes lumières
1160 Ne trouvent plus aux siens leurs grâces coutumières.

Scène 3

POLYEUCTE, PAULINE, GARDES

POLYEUCTE

Madame, quel dessein vous fait me demander ?
Est-ce pour me combattre, ou pour me seconder,
Cet effort généreux de votre amour parfaite
Vient-il à mon secours ? vient-il à ma défaite ?
1165 Apportez-vous ici la haine, ou l'amitié,
Comme mon ennemie, ou ma chère moitié ?

PAULINE

Vous n'avez point ici d'ennemi que vous-même,
Seul vous vous haïssez lorsque chacun vous aime,
Seul vous exécutez tout ce que j'ai rêvé :
1170 Ne veuillez pas vous perdre, et vous êtes sauvé.
A quelque extrémité que votre crime passe,
Vous êtes innocent, si vous vous faites grâce.
Daignez considérer le sang dont vous sortez,
Vos grandes actions *, vos rares [3] qualités ;
1175 Chéri de tout le peuple, estimé chez le prince,
Gendre du gouverneur de toute la province,
Je ne vous compte à rien le nom de mon époux [4],
C'est un bonheur pour moi, qui n'est pas grand
                                        [pour vous ;

---

ture spirituelle : « Toi qui es appelé Consolateur, don du Dieu Très Haut,
source d'eau vive, *feu*, charité et spirituelle onction. »
1. Amour.   2. Envoûté.   3. Hors du commun.   4. En dépit de
son trouble, Pauline conserve un langage de personnage de tragédie, usant
d'artifices rhétoriques : elle garde l'argument le plus fort pour la fin de son
propos, et recourt à la prétérition (« Je ne vous compte à rien... »).

Mais après vos exploits, après votre naissance,
1180 Après votre pouvoir, voyez notre espérance,
Et n'abandonnez pas à la main d'un bourreau
Ce qu'à nos justes vœux promet un sort si beau.

POLYEUCTE

Je considère plus, je sais mes avantages[1],
Et l'espoir que sur eux forment les grands courages[2].
1185 Ils n'aspirent enfin[3] qu'à des biens passagers,
Que troublent les soucis, que suivent les dangers,
La mort nous les ravit, la fortune s'en joue,
Aujourd'hui dans le trône, et demain dans la boue,
Et leur plus haut éclat fait tant de mécontents,
1190 Que peu de vos Césars en ont joui longtemps.
J'ai de l'ambition *, mais plus noble, et plus belle,
Cette grandeur périt, j'en veux une immortelle,
Un bonheur assuré, sans mesure, et sans fin[4],
Au-dessus de l'envie, au-dessus du destin.
1195 Est-ce trop l'acheter que d'une triste vie
Qui tantôt[5], qui soudain me peut être ravie,
Qui ne me fait jouir que d'un instant qui fuit,
Et ne peut m'assurer de celui qui le suit[6] ?

---

1. Les qualités qui font ma supériorité.   2. Cœurs.   3. Dans le sens de « finalement, après tout ».   4. Ce qui peut paraître comme un calcul mercantile ou comme une soif démesurée de grandeur provient en fait d'un constat constitutif de la culture baroque : celui de la fragilité absolue de la vie. On en trouvera une excellente expression dans le chapitre « De la méditation de la mort » de *L'Imitation de Jésus-Christ* (I, 22) dans la traduction de Corneille. Voir, en particulier, ces vers : « D'où te vient la folle espérance / De faire en terre un long séjour, / Toi qui n'as pas même un seul jour / Où tes jours soient en assurance ? » Voir également Introduction p. 17-18.   5. Bientôt.   6. L'ambition spirituelle (v. 1191) de Polyeucte reprend ici la logique de ce que les auteurs anciens désignent comme la « fuite » ou le « mépris » du monde (*fuga, contemptus mundi*). Cette attitude spirituelle, qui se trouve à la source du mouvement monachique, connaît diverses nuances. A partir du Moyen Age, elle s'appuie principalement sur des considérations morales : la faiblesse de l'homme, trop naturellement attiré par les valeurs de ce monde, exige du chrétien parfait une option sans compromis en faveur du ciel. Semblables considérations débouchent assez naturellement sur la dépréciation systématique des biens immédiats en regard des promesses de la vie future. Voir *Dictionnaire de spiritualité ascétique et mystique*, Paris, Beauchesne, t. V, 1954, p. 1575-1606.

PAULINE

Voilà de vos chrétiens les ridicules songes,
1200 Voilà jusqu'à quel point vous charment[1] leurs
                                         [mensonges,
Tout votre sang est peu pour un bonheur si doux,
Mais pour en disposer ce sang est-il à vous ?
Vous n'avez pas la vie ainsi qu'un héritage,
Le jour qui vous la donne en même temps l'engage[2],
1205 Vous la devez au prince, au public, à l'Etat.

POLYEUCTE

Je la voudrais pour eux perdre dans un combat,
Je sais quel en est l'heur, et quelle en est la gloire ;
Des aïeux de Décie on vante la mémoire,
Et ce nom précieux * encore à vos Romains[3]
1210 Au bout de six cents ans lui met l'empire aux mains.
Je dois ma vie au peuple, au prince, à sa couronne,
Mais je la dois bien plus au Dieu qui me la donne :
Si mourir pour son prince est un illustre sort,
Quand on meurt pour son Dieu, quelle sera la
                                         [mort ?

PAULINE

1215 Quel dieu !

POLYEUCTE

Tout beau, Pauline, il entend vos paroles,
Et ce n'est pas un dieu comme vos dieux frivoles[4],
Insensibles et sourds, impuissants, mutilés[5],

---

1. Envoûtent.   2. Comprendre : Dès la naissance, la vie de l'être
humain est redevable, a des dettes (est « engagée ») à l'égard des autres.
3. Decius était le nom d'une célèbre famille romaine dont les ressortissants
s'étaient illustrés dès l'époque de la république.   4. Sans consistance.
Voir également v. 851.   5. Corneille reprend ici une critique fréquente
des premiers chrétiens contre les idoles du paganisme. Les païens adorent
des représentations humaines, mais qui n'ont aucune des facultés dont dis-
posent les humains. Les idoles ont des oreilles, mais elles n'entendent rien,
elles ont des bras, mais ne peuvent agir (« mutilés »), etc. Elles sont donc
« impuissantes ». Ce paradoxe de l'idolâtre qui requiert son salut d'une statue dont il est l'auteur, trouve du reste son origine dans la Bible. Voir
notamment le Livre de la Sagesse 13, 17-19 : « Il ne rougit point de parler
à un bois sans âme. Il prie pour sa santé celui qui n'est que faiblesse ; il

Tout beau, Pauline : il entend vos paroles,
Et ce n'est pas un dieu comme vos dieux frivoles,

De bois, de marbre, ou d'or, comme vous les voulez.
C'est le Dieu des chrétiens, c'est le mien, c'est le vôtre,
1220 Et la terre et le ciel n'en connaissent point d'autre.

PAULINE

Adorez-le dans l'âme, et n'en témoignez rien[1].

POLYEUCTE

Que je sois tout ensemble idolâtre, et chrétien !

PAULINE

Ne feignez qu'un moment, laissez partir Sévère,
Et donnez lieu d'agir aux bontés de mon père.

POLYEUCTE

1225 Les bontés de mon Dieu sont bien plus à chérir.
Il m'ôte des périls que j'aurais pu courir[2],
Et sans me laisser lieu de tourner en arrière
Sa faveur me couronne entrant dans la carrière[3],
Du premier coup de vent il me conduit au port,
1230 Et sortant du baptême il m'envoie à la mort.
Si vous pouviez comprendre, et le peu qu'est la vie
Et de quelles douceurs cette mort est suivie...

---

demande la vie à un mort, et il appelle à son secours celui qui ne peut se
secourir. Pour avoir des forces dans un voyage, il s'adresse à celui qui ne
peut marcher ; et, lorsqu'il pense à acquérir ou à entreprendre quelque
chose, et qu'il est en peine du succès de tout ce qui le regarde, il implore
celui qui est inutile à tout. »
1. Le terme de martyr signifie étymologiquement « témoin ».   2. Cf.
v. 664-665.   3. Le lieu où se déroule la performance sportive (la
course). On retrouve la métaphore de l'« athlète », récurrente dans la littérature chrétienne (voir note 1, p. 93). L'image renchérit ici sur la comparaison que propose saint Paul dans la Seconde épître à Timothée, 2, 5 :
« Celui qui combat dans les jeux publics n'est couronné qu'après avoir
combattu selon les lois des combats. » Sur la couronne comme un attribut
traditionnel du martyre, voir note 4, p. 91. Au vers suivant (1229), Corneille recourt à une autre métaphore traditionnelle de la littérature religieuse baroque : le chrétien comme un navire que la providence divine
conduit au port, malgré les écueils du parcours.

Mais que sert de parler de ces trésors cachés [1]
A des esprits que Dieu n'a pas encor touchés ?

PAULINE

1235 Cruel, car il est temps que ma douleur éclate,
Et qu'un juste reproche accable une âme ingrate,
Est-ce là ce beau feu ? sont-ce là tes serments ?
Témoignes-tu pour moi les moindres sentiments ?
Je ne te parlais point de l'état déplorable
1240 Où ta mort va laisser ta femme inconsolable ;
Je croyais que l'amour t'en parlerait assez,
Et je ne voulais pas de sentiments forcés.
Mais cette amour si ferme et si bien méritée
Que tu m'avais promise et que je t'ai portée,
1245 Quand tu me veux quitter, quand tu me fais mourir,
Te peut-elle arracher une larme, un soupir ?
Tu me quittes [2], ingrat, et le fais avec joie,
Tu ne la caches pas, tu veux que je la voie,
Et ton cœur insensible à ces tristes appas [3]
1250 Se figure un bonheur où je ne serai pas !
C'est donc là le dégoût qu'apporte l'hyménée !
Je te suis odieuse * après m'être donnée [4] !

POLYEUCTE

Hélas !

PAULINE

Que cet hélas a de peine à sortir !
Encor s'il commençait un heureux repentir,
1255 Que tout forcé qu'il est, j'y trouverais de charmes !
Mais courage, il s'émeut, je vois couler des larmes.

---

1. Allusion à l'Evangile selon saint Matthieu : « Le royaume des cieux est semblable à un trésor caché dans un champ... » (13, 44).   **2.** Les règles de la prosodie du vers imposent de prononcer le *e* de « quittes » et de faire la liaison avec « ingrat » pour obtenir les douze syllabes de l'alexandrin. **3.** Par cette périphrase, Pauline désigne ses charmes, compromis par les marques de sa tristesse. L'application de l'adjectif « triste » à « appas » pourrait être une manière d'hypallage (voir note 5, p. 82).   **4.** Cf. v. 131-135.

POLYEUCTE

J'en verse, et plût à Dieu qu'à force d'en verser
Ce cœur trop endurci[1] se pût enfin percer.
Le déplorable état où je vous abandonne
1260 Est bien digne des pleurs que mon amour vous
[donne,
Et si l'on peut au ciel sentir quelques douleurs,
J'y pleurerai pour vous l'excès[2] de vos malheurs.
Mais si dans ce séjour de gloire et de lumière
Ce Dieu tout juste et bon peut souffrir ma prière,
1265 S'il y daigne écouter un conjugal amour,
Sur votre aveuglement[3] il répandra le jour.
Seigneur, de vos bontés il faut que je l'obtienne,
Elle a trop de vertu pour n'être pas chrétienne,
Avec trop de mérite[4] il vous plut la former,
1270 Pour ne vous pas connaître, et ne vous pas aimer,
Pour vivre des enfers[5] esclave infortunée,

---

1. Voir note 4, p. 114.   2. Degré extrême (sans idée de dépassement).
3. Terme issu du vocabulaire religieux. Furetière donne comme exemples :
« L'aveuglement des pécheurs n'est pas compréhensible. Dieu lui a fait la
grâce de revenir de son aveuglement. »   4. Terme à valeur théologique.
La question du mérite, qui appelle celle de la récompense, est évoquée par
le Concile de Trente (1545-1563) dans le *Décret sur la Justification* (voir H.
Denzinger, *Symboles et définitions de la foi catholique*, éd. J. Hoffmann, Paris,
1996, p. 427-428, n° 1545). Le mérite y est associé à l'effort vertueux de
l'homme justifié qui persévère dans les voies de la grâce. Les propos de
Polyeucte sont ambigus, dans la mesure où ils suggèrent une équivalence
entre les vertus naturelles de Pauline, qui appelleraient la grâce de la
conversion, et le mérite qui lui a été accordé par son Créateur. François de
Sales prend au contraire bien soin de distinguer, dans les qualités
humaines, ce qui relève spécifiquement du mérite : « Il y a certaines inclinations qui sont estimées vertus et ne le sont pas, ains [mais] des faveurs et
avantages de la nature. Combien y a-t-il de personnes qui, par leur condition naturelle, sont sobres, simples, douces, taciturnes, voire même chastes
et honnêtes ? Or tout cela semble être vertu, et n'en a toutefois pas le
mérite, non plus que les mauvaises inclinations ne sont dignes d'aucun
blâme, jusques à ce que, sur telles humeurs naturelles, nous ayons enté le
libre et volontaire contentement » (*Traité de l'amour de Dieu*, XI, 7, éd.
cit., p. 893-894). Voir également la notice « Vertu des païens », Dossier,
« Documents », p. 206.   5. En dépit du pluriel qui adoucit la rigueur de
l'expression, c'est bien aux peines éternelles de l'« enfer » que fait allusion
ce vers. Le Concile de Trente est parfaitement clair sur le destin des
païens : parce qu'ils ont « perdu l'innocence dans la prévarication
d'Adam », ils sont désormais « sous le pouvoir du diable et de la mort », et

Et sous leur triste joug mourir, comme elle est née.

PAULINE

Que dis-tu, malheureux ? qu'oses-tu souhaiter ?

POLYEUCTE

Ce que de tout mon sang je voudrais acheter[1].

PAULINE

1275 Que plutôt...

POLYEUCTE

    C'est en vain qu'on se met en défense,
Ce Dieu touche les cœurs lorsque moins on y
          [pense[2],
Ce bienheureux moment n'est pas encor venu,
Il viendra, mais le temps ne m'en est pas connu.

PAULINE

Quittez cette chimère, et m'aimez.

POLYEUCTE

       Je vous aime
1280 Beaucoup moins que mon Dieu, mais bien plus que
          [moi-même.

PAULINE

Au nom de cet amour ne m'abandonnez pas.

POLYEUCTE

Au nom de cet amour venez suivre mes pas.

---

cela « même si le libre arbitre n'était aucunement éteint en eux » (*Décret sur la Justification*, ch. 1, Denzinger, *op. cit.*, n° 1521).
1. Polyeucte fait ici allusion au principe de la « co-rédemption », c'est-à-dire à la possibilité qu'a le chrétien de participer à l'œuvre rédemptrice du Christ sous sa forme de rachat (cf. Première épître de Pierre 1, 18 ; Épître aux Galates 3, 13). 2. Cf. v. 1123-1124. Même idée en sens contraire. La conversion des païens peut être l'effet de la grâce. Voir la notice « Grâce », p. 203-205.

PAULINE
C'est peu de me quitter, tu veux donc me séduire[1] ?

POLYEUCTE
C'est peu d'aller au ciel, je vous y veux conduire.

PAULINE
1285 Imaginations *.

POLYEUCTE
Célestes vérités.

PAULINE
Etrange[2] aveuglement.

POLYEUCTE
Eternelles clartés.

PAULINE
Tu préfères la mort à l'amour de Pauline !

POLYEUCTE
Vous préférez le monde à la bonté divine !

PAULINE
Va cruel, va mourir, tu ne m'aimas jamais.

POLYEUCTE
1290 Vivez heureuse au monde, et me laissez en paix.

PAULINE
Oui, je t'y vais laisser, ne t'en mets plus en peine,
Je vais...

---

1. Induire au mal. Les vers 1281-1290 constituent une stichomythie (voir note 2, p. 84).   **2.** Extraordinaire.

Scène 4

POLYEUCTE, PAULINE, SÉVÈRE, FABIAN, GARDES

PAULINE
Mais quel dessein en ce lieu vous amène,
Aurait-on cru qu'un cœur si généreux
Pût venir jusqu'ici braver un malheureux ?

POLYEUCTE
1295 Vous traitez mal, Pauline, un si rare [1] mérite,
A ma seule prière il rend cette visite.
Je vous ai fait, Seigneur, une incivilité [2],
Que vous pardonnerez à ma captivité.
Possesseur d'un trésor dont je n'étais pas digne
1300 Souffrez avant ma mort que je vous le résigne [3],
Et laisse la vertu la plus rare [4] à nos yeux
Qu'une femme jamais pût recevoir des cieux,
Aux mains du plus vaillant, et du plus honnête
                              [homme,
Qu'ait adoré la terre, et qu'ait vu naître Rome.
1305 Vous êtes digne d'elle, elle est digne de vous,
Ne la refusez pas de la main d'un époux,
S'il vous a désunis, sa mort vous va rejoindre,
Qu'un feu jadis si beau n'en devienne pas moindre,
Rendez-lui votre cœur, et recevez sa foi,
1310 Vivez heureux ensemble, et mourez comme moi,
C'est le bien qu'à tous deux Polyeucte * désire.
Qu'on me mène à la mort, je n'ai plus rien à dire,
Allons, gardes, c'est fait.

---

1. Extraordinaire.   2. Polyeucte a demandé à Sévère de se déplacer, toutes affaires cessantes, pour venir auprès de lui, ce qui ne correspond pas à l'étiquette. Il aurait dû aller lui-même à sa rencontre ou convenir d'une entrevue.   3. Abandonne.   4. Hors du commun.

Qu'on me mene a la mort,

Qu'on me mène à la mort, je n'ai plus rien à dire,
Allons, gardes, c'est fait.

Scène 5

SÉVÈRE, PAULINE, FABIAN

SÉVÈRE

               Dans mon étonnement [1]
Je suis confus pour lui de son aveuglement ;
1315 Sa résolution * a si peu de pareilles
    Qu'à peine je me fie encore à mes oreilles.
    Un cœur qui vous chérit (mais quel cœur assez bas
    Aurait pu vous connaître, et ne vous chérir pas ?)
    Un homme aimé de vous, sitôt qu'il vous possède,
1320 Sans regret, il vous quitte, il fait plus, il vous cède,
    Et comme si vos feux étaient un don fatal,
    Il en fait un présent lui-même à son rival !
    Certes [2], ou les chrétiens ont d'étranges manies [3],
    Ou leurs félicités doivent être infinies,
1325 Puisque pour y prétendre ils osent rejeter
    Ce que de tout l'empire il faudrait acheter.
    Pour moi, si mes destins un peu plus tôt propices
    Eussent de votre hymen honoré mes services,
    Je n'aurais adoré que l'éclat de vos yeux,
1330 J'en aurais fait mes rois, j'en aurais fait mes dieux,
    On m'aurait mis en poudre [4], on m'aurait mis en
    Avant que...
                        [cendre

PAULINE

          Brisons là, je crains de trop entendre,
    Et que cette chaleur [5] qui sent vos premiers feux
    Ne pousse [6] quelque suite indigne de tous deux.
1335 Sévère, connaissez Pauline tout entière.
    Mon Polyeucte * touche à son heure dernière,
    Pour achever de vivre il n'a plus qu'un moment,
    Vous en êtes la cause, encor qu'innocemment.
    Je ne sais si votre âme à vos désirs ouverte
1340 Aurait osé former quelque espoir sur sa perte ;
    Mais sachez qu'il n'est point de si cruels trépas,

---

1. Abasourdissement.   **2.** Les règles de la prosodie du vers imposent de prononcer le *e* de « certes » et de faire la liaison avec « ou » pour obtenir douze syllabes.   **3.** Voir note 6 p. 103.   **4.** Poussière.   **5.** Voir note 2, p. 111.   **6.** Produise.

Où d'un front assuré je ne porte mes pas,
Qu'il n'est point aux enfers d'horreurs que je
Plutôt que de souiller une gloire[1] si pure,   [n'endure,
1345 Que d'épouser un homme après son triste sort[2],
Qui de quelque façon soit cause de sa mort,
Et si vous me croyiez d'une âme si peu saine,
L'amour que j'eus pour vous tournerait toute en
Vous êtes généreux[3], soyez-le jusqu'au bout ; [haine.
1350 Mon père est en état de vous accorder tout,
Il vous craint, et j'avance encor cette parole,
Que s'il perd mon époux, c'est à vous qu'il l'immole.
Sauvez ce malheureux, employez-vous pour lui,
Faites-vous un effort pour lui servir d'appui.
1355 Je sais que c'est beaucoup que ce que je demande,
Mais plus l'effort est grand, plus la gloire en est
Conserver un rival dont vous êtes jaloux,   [grande ;
C'est un trait de vertu qui n'appartient qu'à vous ;
Et si ce n'est assez de votre renommée,
1360 C'est beaucoup qu'une femme autrefois tant aimée,
Et dont l'amour peut-être encor vous peut toucher,
Doive à votre grand cœur ce qu'elle a de plus cher[4].
Souvenez-vous enfin que vous êtes Sévère.
Adieu, résolvez[5] seul ce que vous voulez faire,
1365 Et si vous n'êtes tel que je l'ose espérer,
Pour vous priser[6] encor, je le veux ignorer.

Scène 6

SÉVÈRE, FABIAN

SÉVÈRE

Qu'est ceci, Fabian *, quel nouveau coup de foudre
Tombe sur mon bonheur et le réduit en poudre[7] ?
Plus je l'estime près, plus il est éloigné,

---

1. Réputation.   2. Comprendre : après la mort de Polyeucte (v. 1336).
3. Vous savez faire preuve de grandeur d'âme.   4. « Cher » rime avec
« toucher » en vertu de l'usage qui veut que, dans la prosodie de l'alexandrin
au théâtre, on prononce la dernière consonne du vers. Rime dite « nor-
mande ».   5. Décidez.   6. Estimer.   7. Poussière.

1370 Je trouve tout perdu, quand je crois tout gagné,
     Et toujours la fortune à me nuire obstinée
     Tranche mon espérance, aussitôt qu'elle est née.
     Avant qu'offrir des vœux, je reçois des refus,
     Toujours triste, toujours et honteux et confus[1],
1375 De voir que lâchement elle[2] ait osé renaître,
     Qu'encor plus lâchement elle ait osé paraître,
     Et qu'une femme enfin dans la calamité
     Me fasse des leçons de générosité.
     Votre belle âme est haute autant que malheureuse,
1380 Mais elle est inhumaine[3] autant que généreuse,
     Pauline, et vos douleurs avec trop de rigueur
     D'un amant tout à vous tyrannisent le cœur.
     C'est donc peu de vous perdre, il faut que je vous
                                                    [donne,
     Que je serve un rival lorsqu'il vous abandonne,
1385 Et que par un cruel et généreux effort
     Pour vous rendre en ses mains, je l'arrache à la mort.

                         FABIAN

     Laissez à son destin cette ingrate famille,
     Qu'il[4] accorde s'il veut le père avec la fille,
     Polyeucte * et Félix, l'épouse avec l'époux,
1390 D'un si cruel effort quel prix[5] espérez-vous ?

                         SÉVÈRE

     La gloire de montrer à cette âme si belle
     Que Sévère l'égale, et qu'il est digne d'elle,
     Qu'elle m'était bien due, et que l'ordre des cieux
     En me la refusant, m'est trop injurieux *[6].

                         FABIAN

1395 Sans accuser le sort ni le ciel d'injustice,
     Prenez garde au péril qui suit un tel service.
     Vous hasardez[7] beaucoup, Seigneur, pensez-y bien.

---

1. Dépassé par les événements.   2. Se rapporte à « espérance » au
v. 1372. « Lâchement » : de manière relâchée (donc à l'opposé de l'attitude
héroïque).   3. La qualification d'« inhumain » sert, dans la langue de
l'époque, à qualifier la cruauté. A ce titre, elle est également utilisée dans
le registre galant : la femme insensible aux prières de celui qui la courtise
est appelée inhumaine.   4. Se rapporte à « destin » au vers précédent.
5. Récompense.   6. Injuste.   7. Vous prenez des risques.

Quoi, vous entreprenez de sauver un chrétien ?
Pouvez-vous ignorer pour cette secte impie
1400 Quelle est, et fut toujours la haine de Décie ?
C'est un crime vers lui si grand, si capital[1],
Qu'à votre faveur même il peut être fatal.

SÉVÈRE

Cet avis serait bon pour quelque âme commune,
S'il tient entre ses mains ma vie et ma fortune,
1405 Je suis encor Sévère, et tout ce grand pouvoir
Ne peut rien sur ma gloire[2], et rien sur mon devoir.
Ici l'honneur m'oblige[3], et j'y veux satisfaire,
Qu'après le sort se montre ou propice ou contraire[4],
Comme son naturel est toujours inconstant,
1410 Périssant glorieux * je périrai content.
Je te dirai bien plus, mais avec confidence,
La secte des chrétiens n'est pas ce que l'on pense[5],
On les hait, la raison je ne la connais point,
Et je ne vois Décie injuste qu'en ce point[6].
1415 Par curiosité * j'ai voulu les connaître,
On les tient pour sorciers dont l'enfer est le maître,
Et sur cette croyance on punit du trépas
Des mystères[7] secrets que nous n'entendons pas.
Mais Cérès Eleusine, et la Bonne Déesse[8]

---

1. Qui mérite la mort.   2. Réputation (envisagée ici sous l'angle de ce que le héros doit à son honneur).   3. Me lie par devoir.   4. Sévère évoque ici les représailles possibles de l'empereur à son égard, s'il apprend que son favori a tenté de protéger des chrétiens.   5. Dans la suite de sa réplique, Sévère se livre à un plaidoyer en faveur de la religion chrétienne dont l'argumentation correspond assez précisément à celle que développe Tertullien dans son *Apologétique*. Les raisons de la haine des chrétiens sont inconnues (*Apologétique*, I, 1-2) ; on leur reproche des secrets qui ne diffèrent pas de ceux du culte romain de Cérès (7, 6) ; les Romains souffrent toutes sortes de dieux (10, 5), parmi lesquels les dieux égyptiens (24, 7) ; ils attribuent à des êtres humains le statut de divinités (10, 3) ; les chrétiens ont des mœurs innocentes (45) et se comportent entre eux en frères (39, 8).   6. Si l'on en croit Coëffeteau, l'historien de référence dont Corneille se recommande (voir l'Abrégé de l'édition de 1643, p. 44), Decius possédait d'« éminentes vertus morales ».   7. Cérémonies.   8. Il ne s'agit pas de la déesse Cybèle, comme le répètent toutes les éditions modernes de la pièce, mais d'une déesse romaine du nom de *Bona Dea*, parfois assimilée à Flore. Les cérémonies du culte de la Bonne Déesse avaient la réputation d'être secrètes (voir Vossius, *De origine idolatriae*,

1420 Ont leurs secrets comme eux, à Rome, et dans la
[Grèce ;
Encore impunément nous souffrons en tous lieux,
Leur dieu seul excepté, toute sorte de dieux ;
Tous les monstres d'Egypte ont leurs temples dans
[Rome,
Nos aïeux à leur gré faisaient un dieu d'un homme,
1425 Et leur sang parmi nous conservant leurs erreurs [1],
Nous remplissons le ciel de tous nos empereurs [2] ;
Mais à parler sans fard de tant d'apothéoses,
L'effet est bien douteux de ces métamorphoses [3].
Les chrétiens n'ont qu'un dieu, maître absolu de tout,
1430 De qui le seul vouloir fait tout ce qu'il résout [4] ;
Mais si j'ose entre nous dire ce qui me semble,
Les nôtres bien souvent s'accordent mal ensemble,
Et me dût leur colère écraser à tes yeux,
Nous en avons beaucoup, pour être de vrais dieux [5].

1641, II, 61, p. 636), à l'instar de celles de Cérès Eleusine (L. G. Giraldi, *De deis gentium*, 1548, XIV, p. 590 et p. 751). **1.** Comprendre : En ayant conservé le sang de nos aïeux (qui coule encore dans nos veines), nous avons aussi conservé leurs erreurs. **2.** Les empereurs romains étaient divinisés sitôt après leur mort au cours d'une cérémonie qu'on nommait « apothéose ». Cette pratique rejoignait la théorie d'Evhémère de Messine (330 av. J.-C.), suivant laquelle les dieux auraient été, à l'origine, des hommes remarquables par leurs qualités, que la postérité aurait divinisés. Au v. 1424, Sévère se réclame explicitement d'une telle doctrine. Il est probable que Corneille a connu l'évhémérisme par l'intermédiaire des apologistes chrétiens, en premier lieu par Tertullien (*Apologétique*, 10 et 11). **3.** Comprendre : Il y a lieu de douter de la réalisation effective (« effet ») de toutes ces transformations d'hommes en dieux (« métamorphoses »). **4.** Décide. Cf. psaume 134, 6 : « Le Seigneur a fait tout ce qu'il a voulu dans le ciel, dans la terre, dans la mer et dans tous les abîmes », ainsi que le Livre de Job 38-39, *passim*. **5.** Dans l'édition originale de 1643 figuraient ici quatre vers supprimés dès 1660 : « Peut-être qu'après tout ces croyances publiques / Ne sont qu'inventions de sages politiques, / Pour contenir un peuple, ou bien pour l'émouvoir, / Et dessus sa faiblesse affermir leur pouvoir. » C'est une idée de Machiavel (*Discours sur la première décade de Tite-Live*, I, 12 : « Comment les Romains se sont servis de la religion pour gouverner la cité, pour mener à bien leurs entreprises et pour étouffer les rébellions »), récupérée par les milieux libertins de l'époque de Corneille (voir, entre autres, les *Considérations politiques sur les coups d'Etat* (1639) de Gabriel Naudé, dont c'est une des thèses principales).

1435 Enfin chez les chrétiens les mœurs sont innocentes,
     Les vices détestés, les vertus florissantes[1],
     Ils font des vœux pour nous qui les persécutons[2],
     Et depuis tant de temps que nous les tourmentons,
     Les a-t-on vus mutins ? les a-t-on vus rebelles ?
1440 Nos princes ont-ils eu des soldats plus fidèles[3] ?
     Furieux * dans la guerre, ils souffrent nos bourreaux,
     Et lions * au combat, ils meurent en agneaux.
     J'ai trop de pitié d'eux pour ne les pas défendre.
     Allons trouver Félix, commençons par son gendre,
1445 Et contentons ainsi d'une seule action *,
     Et Pauline, et ma gloire, et ma compassion *.

---

1. Dans l'édition originale de 1643 figuraient ici quatre vers supprimés dès
1660 : « Jamais un adultère, un traître, un assassin, / Jamais d'ivrognerie et
jamais de larcin, / Ce n'est qu'amour entre eux, que charité sincère, / Chacun y chérit l'autre, et le secourt pour frère. »   **2.** On reconnaît ici un
des préceptes du Christ à ses disciples : « Et moi je vous dis : Aimez vos
ennemis, faites du bien à ceux qui vous haïssent, et priez pour ceux qui
vous persécutent et qui vous calomnient » (Evangile selon saint Matthieu
5, 44).   **3.** Voir également v. 1206.

ACTE V

Scène 1

FÉLIX, ALBIN, CLÉON

FÉLIX

Albin, as-tu bien vu la fourbe de Sévère ?
As-tu bien vu sa haine, et vois-tu ma misère ?

ALBIN

Je n'ai vu rien en lui qu'un rival généreux,
1450 Et ne vois rien en vous qu'un père rigoureux.

FÉLIX

Que tu discernes mal le cœur d'avec la mine !
Dans l'âme il hait Félix, et dédaigne Pauline,
Et s'il l'aima jadis, il estime aujourd'hui
Les restes d'un rival trop indignes de lui.
1455 Il parle en sa faveur, il me prie, il menace,
Et me perdra, dit-il, si je ne lui fais grâce,
Tranchant[1] du généreux il croit m'épouvanter ;
L'artifice est trop lourd pour ne pas l'éventer[2].
Je sais des gens de cour quelle est la politique,
1460 J'en connais mieux que lui la plus fine pratique :
C'est en vain qu'il tempête, et feint d'être en fureur,
Je vois ce qu'il prétend auprès de l'empereur,
De ce qu'il me demande il m'y ferait un crime,
Epargnant son rival je serais sa victime,

---

1. Se donnant l'air de.   2. « Découvrir un secret, mettre au jour une chose qu'on voulait tenir cachée » (Furetière).

1465 Et s'il avait affaire à quelque maladroit[1],
    Le piège est bien tendu, sans doute[2] il le perdrait ;
    Mais un vieux courtisan est un peu moins crédule,
    Il voit quand on le joue, et quand on dissimule,
    Et moi, j'en ai tant vu de toutes les façons
1470 Qu'à lui-même au besoin j'en ferais des leçons.

                    ALBIN

Dieux ! que vous vous gênez[3] par cette défiance * !

                    FÉLIX

Pour subsister en cour c'est la haute science *.
Quand un homme une fois a droit de nous haïr,
Nous devons présumer qu'il cherche à nous trahir[4],
1475 Toute son amitié nous doit être suspecte ;
    Si Polyeucte * enfin n'abandonne sa secte,
    Quoi que son protecteur ait pour lui dans l'esprit,
    Je suivrai hautement[5] l'ordre qui m'est prescrit.

                    ALBIN

Grâce, grâce, Seigneur, que Pauline l'obtienne.

                    FÉLIX

1480 Celle de l'empereur ne suivrait pas la mienne,
    Et loin de le tirer de ce pas dangereux
    Ma bonté ne ferait que nous perdre tous deux.

                    ALBIN

Mais Sévère promet...

                    FÉLIX

                    Albin, je m'en défie,
Et connais mieux que lui la haine de Décie,
1485 En faveur des chrétiens s'il choquait[6] son courroux,
    Lui-même assurément se perdrait avec nous.

---

1. « Maladroit » rime avec « perdrait » au vers suivant, car la diphtongue finale des deux termes (orthographiés « maladroit » et « perdroit » dans les éditions du XVIIᵉ siècle) se prononçait « ouait ».   2. Sans aucun doute. Exprime la certitude.   3. Tourmentez.   4. Ces deux derniers vers constituent une maxime. Voir note 5, p. 64.   5. Résolument. 6. Allait brutalement à l'encontre de.

Je veux tenter pourtant encore une autre voie [1],
Amenez Polyeucte *, et si je le renvoie,
S'il demeure insensible à ce dernier effort,
1490 Au sortir de ce lieu qu'on lui donne la mort.

ALBIN

Votre ordre est rigoureux.

FÉLIX

     Il faut que je le suive
Si je veux empêcher qu'un désordre n'arrive.
Je vois le peuple ému [2] pour prendre son parti,
Et toi-même tantôt tu m'en as averti ;
1495 Dans ce zèle [3] pour lui qu'il fait déjà paraître,
Je ne sais si longtemps j'en pourrais être maître :
Peut-être dès demain, dès la nuit, dès ce soir,
J'en verrais des effets que je ne veux pas voir,
Et Sévère aussitôt courant à sa vengeance
1500 M'irait calomnier * de quelque intelligence [4].
Il faut rompre ce coup qui me serait fatal.

ALBIN

Que tant de prévoyance est un étrange [5] mal !
Tout vous nuit, tout vous perd, tout vous fait de
             [l'ombrage [6],
Mais voyez que sa mort mettra ce peuple en rage,
1505 Que c'est mal le guérir que le désespérer [7].

FÉLIX

En vain après sa mort il voudra murmurer [8],
Et s'il ose venir à quelque violence *,
C'est affaire à céder deux jours à l'insolence [9] ;

---

1. L'édition de 1643 fait figurer à cet endroit, dans la marge, la didascalie suivante : « Il parle à Cléon. »   2. En état de révolte.   3. Engouement.   4. Comprendre : Irait m'accuser à tort d'être complice. 5. Monstrueux.   6. Inquiétude.   7. La conséquence du désespoir est le recours à des solutions extrêmes (en l'occurrence, la révolte).   8. Protester.   9. Le terme s'emploie, dans la langue de l'époque, pour désigner une violence illégitime. Félix compte sur le fait que la rébellion populaire ne durera que deux jours, durant lesquels il la laissera se développer sans intervenir.

J'aurai fait mon devoir, quoi qu'il puisse arriver[1].
1510 Mais Polyeucte * vient, tâchons à le sauver.
Soldats, retirez-vous, et gardez bien la porte.

Scène 2

FÉLIX, POLYEUCTE, ALBIN

FÉLIX

As-tu donc pour la vie une haine si forte,
Malheureux Polyeucte *, et la loi des chrétiens
T'ordonne-t-elle ainsi d'abandonner les tiens ?

POLYEUCTE

1515 Je ne hais point la vie[2], et j'en aime l'usage,
Mais sans attachement qui sente l'esclavage,
Toujours prêt à la rendre au Dieu dont je la tiens ;
La raison me l'ordonne, et la loi des chrétiens,
Et je vous montre à tous par là comme il faut vivre,
1520 Si vous avez le cœur assez bon[3] pour me suivre.

FÉLIX

Te suivre dans l'abîme où tu te veux jeter ?

POLYEUCTE

Mais plutôt dans la gloire[4] où je m'en vais monter.

FÉLIX

Donne-moi pour le moins le temps de la connaître,
Pour me faire chrétien, sers-moi de guide à l'être,
1525 Et ne dédaigne pas de m'instruire en ta foi,
Ou toi-même à ton dieu tu répondras de moi.

---

1. L'édition de 1643 ajoutait ici la didascalie suivante : « Polyeucte vient avec ses gardes, qui soudain se retirent. »   2. Cf. v. 1139 et 1195. Les v. 1515-1517 apportent une clarification aux v. 1105 sq.   3. L'expression est du registre héroïque. Elle désigne le courage militaire. Voir également note 6, p. 72.   4. Ici, dans le sens théologique de « gloire de Dieu » (voir note 3, p. 59).

POLYEUCTE

N'en riez point, Félix, il sera votre juge,
Vous ne trouverez point devant lui de refuge[1].
Les rois et les bergers y sont d'un même rang[2].
1530 De tous les siens sur vous il vengera le sang.

FÉLIX

Je n'en répandrai plus, et quoi qu'il en arrive
Dans la foi des chrétiens je souffrirai qu'on vive,
J'en serai protecteur.

POLYEUCTE

                    Non non, persécutez,
Et soyez l'instrument de nos félicités,
1535 Celle d'un vrai chrétien n'est que dans les
                                    [souffrances[3],
Les plus cruels tourments lui sont des récompenses,
Dieu qui rend le centuple aux bonnes actions *[4],
Pour comble donne encor les persécutions *.

---

1. Cet avertissement à Félix prend tout son sens lorsqu'on se souvient de la connotation biblique du mot « refuge ». Le Livre des Nombres (35, 9-15) relate l'instauration des six villes de refuge dans lesquelles le meurtrier qui n'a pas encore été jugé peut se soustraire à la vengeance arbitraire de ses ennemis. C'est par rapport à cette référence juridique que, dans les Psaumes notamment, Dieu est très souvent désigné comme l'ultime refuge du pécheur repentant. Voir par exemple le psaume 90, 3, récité quotidiennement à l'office des complies : « Il dira au Seigneur : Vous êtes mon défenseur et mon refuge. »   **2.** Allusion aux bergers de Bethléem (Evangile selon saint Luc 2, 8-18) et aux Rois mages venus d'Orient (Evangile selon saint Matthieu 2) associés dans l'adoration du Christ nouveau-né.   **3.** La doctrine de la rédemption connaît, au XVIIe siècle, tant du côté protestant (Grotius) que du côté catholique (Bossuet, Bourdaloue), des inflexions qui associent la notion de compensation à celle de punition. Ainsi se développe l'image d'un Dieu jaloux, exerçant une sorte de vindicte à l'égard de son Fils qu'il fait souffrir à la place des hommes coupables. Dans cette logique, il est normal que, pour le chrétien, le salut passe prioritairement par la souffrance consentie, sinon carrément recherchée, que l'on offre à Dieu.   **4.** Ces deux vers reformulent un passage de l'Evangile selon saint Marc : « Je vous dis en vérité que personne ne quittera pour moi et pour l'Evangile sa maison, ou ses frères, ou ses sœurs, ou son père, ou sa mère, ou ses enfants, ou ses terres, que présentement, dans ce siècle même, il ne reçoive cent fois autant » (10, 29-30).

Mais ces secrets pour vous sont fâcheux[1] à
                                        [comprendre,
1540 Ce n'est qu'à ses élus que Dieu les fait entendre.

FÉLIX

Je te parle sans fard, et veux être chrétien.

POLYEUCTE

Qui peut donc retarder l'effet[2] d'un si grand bien ?

FÉLIX

La présence importune...

POLYEUCTE

                    Et de qui ? de Sévère ?

FÉLIX

Pour lui seul contre toi j'ai feint tant de colère,
1545 Dissimule un moment jusques à son départ.

POLYEUCTE

Félix, c'est donc ainsi que vous parlez sans fard ?
Portez à vos païens, portez à vos idoles
Le sucre empoisonné que versent vos paroles.
Un chrétien ne craint rien, ne dissimule rien,
1550 Aux yeux de tout le monde il est toujours chrétien.

FÉLIX

Ce zèle de ta foi ne sert qu'à te séduire[3],
Si tu cours à la mort plutôt que de m'instruire.

POLYEUCTE

Je vous en parlerais ici hors de saison,
Elle est un don du ciel et non de la raison,
1555 Et c'est là que bientôt voyant Dieu face à face[4]
Plus aisément pour vous j'obtiendrai cette grâce.

---

1. Ardus.   2. La réalisation.   3. Induire au mal. « Zèle » : amour.
4. Allusion à une formule de saint Paul : « Nous ne voyons maintenant
que comme en un miroir, et en des énigmes ; mais alors nous verrons Dieu
face à face » (Première épître aux Corinthiens, 13, 12). Cette aspiration de
Polyeucte doit être interprétée comme un désir de transparence dans la
relation à Dieu et non comme une ambition démesurée. Sur le rôle de la
clarté dans la thématique de l'œuvre, voir Introduction, p. 29-30.

FÉLIX

Ta perte cependant me va désespérer[1].

POLYEUCTE

Vous avez en vos mains de quoi la réparer,
En vous ôtant un gendre on vous en donne un autre
1560 Dont la condition * répond mieux à la vôtre :
Ma perte n'est pour vous qu'un change avantageux[2].

FÉLIX

Cesse de me tenir ce discours outrageux,
Je t'ai considéré plus que tu ne mérites,
Mais malgré ma bonté qui croît plus tu l'irrites,
1565 Cette insolence enfin te rendrait odieux *,
Et je me vengerais aussi bien que nos dieux.

POLYEUCTE

Quoi ! vous changez bientôt[3] d'humeur et de
                                        [langage !
Le zèle de vos dieux rentre en votre courage[4] !
Celui d'être chrétien s'échappe, et par hasard
1570 Je vous viens d'obliger à me parler sans fard !

FÉLIX

Va, ne présume pas que quoi que je te jure,
De tes nouveaux docteurs je suive l'imposture,
Je flattais ta manie[5], afin de t'arracher
Du honteux précipice où tu vas trébucher[6],
1575 Je voulais gagner temps pour ménager ta vie
Après l'éloignement d'un flatteur de Décie ;

---

1. Dans un contexte religieux, le « désespoir » désigne, à l'époque, la situation extrêmement grave de perte de l'espérance (« vertu théologale par
laquelle nous attendons la récompense que Dieu a promise à ses élus : la
béatitude éternelle », Furetière). Cette situation peut aboutir au suicide
(voir note 1, p. 78). Or « le désespoir est un péché qui ne se pardonne ni
en ce monde, ni en l'autre » (Furetière). Félix met donc sournoisement
Polyeucte devant une contradiction : en allant à la mort, il entraîne à la
perdition ceux qui l'entourent.   2. Cf. v. 1135 et 1049.   3. Bien vite.
4. Comprendre : L'amour (« zèle ») des dieux païens reprend possession
de votre cœur (« courage »).   5. Voir note 6, p. 103.   6. Tomber (et
pas seulement perdre l'équilibre).

Mais j'ai fait trop d'injure à nos dieux tout-puissants,
Choisis de leur donner ton sang, ou de l'encens.

POLYEUCTE

Mon choix n'est point douteux[1], mais j'aperçois
1580 O Ciel !   [Pauline,

Scène 3

FÉLIX, POLYEUCTE, ALBIN

PAULINE
    Qui de vous deux aujourd'hui m'assassine ?
Sont-ce tous deux ensemble, ou chacun à son tour ?
Ne pourrai-je fléchir la nature, ou l'amour[2],
Et n'obtiendrai-je rien d'un époux, ni d'un père ?

FÉLIX
Parlez à votre époux.

POLYEUCTE
            Vivez avec Sévère.

PAULINE
1585 Tigre, assassine-moi du moins sans m'outrager.

POLYEUCTE
Mon amour par pitié cherche à vous soulager.
Il voit quelle douleur dans l'âme vous possède,
Et sait qu'un autre amour en est le seul remède.
Puisqu'un si grand mérite a pu vous enflammer,
1590 Sa présence toujours a droit de vous charmer[3],
Vous l'aimiez, il vous aime, et sa gloire augmentée...

---

1. Hésitant.   2. « La nature » : le lien filial, donc, par métonymie, le
père. « L'amour » : le lien conjugal, le mari.   3. Polyeucte reprend dans
ces deux vers sous une forme presque identique des propos énoncés par
Pauline aux v. 615-616.

PAULINE

Que t'ai-je fait, cruel, pour être ainsi traitée,
Et pour me reprocher au mépris de ma foi[1]
Un amour si puissant que j'ai vaincu pour toi ?
1595 Vois pour te faire vaincre un si fort adversaire
Quels efforts à moi-même il a fallu me faire,
Quels combats j'ai donnés pour te donner un cœur
Si justement acquis à son premier vainqueur,
Et si l'ingratitude en ton cœur ne domine,
1600 Fais quelque effort sur toi, pour te rendre à Pauline,
Apprends d'elle à forcer ton propre sentiment,
Prends sa vertu pour guide en ton aveuglement,
Souffre que de toi-même elle obtienne ta vie,
Pour vivre sous tes lois à jamais asservie.
1605 Si tu peux rejeter de si justes désirs,
Regarde au moins ses pleurs[2], écoute ses soupirs,
Ne désespère[3] pas une âme qui t'adore.

POLYEUCTE

Je vous l'ai déjà dit, et vous le dis encore,
Vivez avec Sévère, ou mourez avec moi.
1610 Je ne méprise point vos pleurs, ni votre foi,
Mais de quoi que pour vous notre amour
                                        [m'entretienne[4],
Je ne vous connais plus si vous n'êtes chrétienne.
C'en est assez, Félix, reprenez ce courroux,
Et sur cet insolent vengez vos dieux, et vous.

PAULINE

1615 Ah, mon père, son crime à peine est pardonnable,
Mais s'il est insensé, vous êtes raisonnable ;
La nature est trop forte, et ses aimables[5] traits
Imprimés dans le sang ne s'effacent jamais,
Un père est toujours père, et sur cette assurance
1620 J'ose appuyer encore un reste d'espérance.
Jetez sur votre fille un regard paternel,

---

1. La foi que je t'ai donnée par le mariage (et non la foi religieuse).
2. Cf. v. 17, 1086 et 1641.   3. Voir note 1, p. 78.   4. Le verbe est
utilisé ici dans son premier sens de « tenir lié ». Il faut donc comprendre
le vers ainsi : « Quels que soient les liens par lesquels notre amour nous
unit. »   5. Qui méritent d'être aimés.

Ma mort suivra la mort de ce cher criminel[1],
Et les dieux trouveront sa peine illégitime,
Puisqu'elle confondra l'innocence, et le crime,
1625 Et qu'elle changera par ce redoublement[2]
En injuste rigueur un juste châtiment.
Nos destins par vos mains rendus inséparables
Nous doivent rendre heureux ensemble, ou
                                [misérables,
Et vous seriez cruel jusques au dernier point,
1630 Si vous désunissiez ce que vous avez joint[3].
Un cœur à l'autre uni jamais ne se retire,
Et pour l'en séparer il faut qu'on le déchire[4] ;
Mais vous êtes sensible à mes justes douleurs,
Et d'un œil paternel vous regardez mes pleurs.

FÉLIX

1635 Oui, ma fille, il est vrai qu'un père est toujours père,
Rien n'en peut effacer le sacré caractère[5],
Je porte un cœur sensible, et vous l'avez percé,
Je me joins avec vous contre cet insensé.
Malheureux Polyeucte *, es-tu seul insensible,
1640 Et veux-tu rendre seul ton crime irrémissible ?
Peux-tu voir tant de pleurs d'un œil si détaché ?
Peux-tu voir tant d'amour, sans en être touché ?
Ne reconnais-tu plus ni beau-père, ni femme,

---

1. Le suicide de l'épouse qui refuse de survivre à son conjoint est un lieu
commun de la morale antique. Dans son chapitre « De trois bonnes femmes » (*Essais*, II, 35), Montaigne relate trois cas de ce genre, empruntés à
Pline le Jeune et à Tacite. Mais les contemporains de Corneille devaient
penser également à la Romaine Porcie, personnage célèbre de l'histoire de
la Rome républicaine, qui illustre de manière particulièrement appropriée
l'idéal de la « femme forte » : Porcie figure en bonne place dans les traités
de Du Bosc (*La Femme héroïque*, 1645) et de Le Moyne (*La Galerie des
femmes fortes*, 1647). Le P. Caussin, dans sa *Cour sainte* (édition de 1645)
évoque de son côté la figure d'Eponina, qui suivit au tombeau son époux
condamné à mort par Vespasien.   2. La mort de Pauline après celle de
Polyeucte.   3. La formule de Pauline est l'écho direct d'une célèbre formule de l'Évangile selon saint Matthieu : « Que l'homme donc ne sépare
pas ce que Dieu a joint » (19, 6).   4. Ces deux derniers vers constituent
une maxime. Voir note 5, p. 64.   5. L'image est celle de la relation de
paternité, indélébile comme si elle avait été gravée (c'est le sens étymolo-
gique de « caractère », encore bien présent à l'esprit des contemporains de
Corneille). Voir également v. 45.

Sans amitié pour l'un, et pour l'autre sans flamme ?
1645 Pour reprendre les noms, et de gendre, et d'époux,
Veux-tu nous voir tous deux embrasser tes genoux ?

POLYEUCTE

Que tout cet artifice est de mauvaise grâce !
Après avoir deux fois essayé la menace,
Après m'avoir fait voir Néarque dans la mort,
1650 Après avoir tenté l'amour et son effort[1],
Après m'avoir montré cette soif du baptême
Pour opposer à Dieu l'intérêt de Dieu même,
Vous vous joignez ensemble ! Ah ruses de l'enfer !
Faut-il tant de fois vaincre avant que triompher[2] ?
1655 Vos résolutions * usent trop de remise[3],
Prenez la vôtre enfin puisque la mienne est prise.
Je n'adore qu'un Dieu maître de l'univers[4],
Sous qui tremblent le ciel, la terre, et les enfers,
Un Dieu qui nous aimant d'une amour infinie
1660 Voulut mourir pour nous avec ignominie[5],
Et qui par un effort de cet excès[6] d'amour,

---

1. Comprendre : Après avoir essayé d'utiliser l'amour et sa capacité à produire des effets importants. Pour le sens d'« effort », voir note 6, p. 80.
2. Pour la rime en « er », voir la note 4, p. 135.   3. Comprendre : Vos
décisions se font trop attendre.   4. Cf. v. 841-850. Nouvelle profession
de foi de Polyeucte qui, par une gradation dans l'exaltation, va déboucher sur une forme de réitération (verbale cette fois) du bris des idoles.
5. Sur la croix, supplice réservé aux malfaiteurs. L'humiliation du Christ
crucifié participe d'une notion théologique, la « kénose », c'est-à-dire le
dépouillement total, à la fois de ses attributs divins et de sa dignité
humaine. En filigrane de ce terme d'« ignominie », on reconnaîtra deux passages notoires de saint Paul. D'une part, « l'hymne aux Philippiens », qui
célèbre ce renversement des valeurs garant de la victoire finale : « Mais il
s'est anéanti lui-même en prenant la forme et la nature de serviteur, en se
rendant semblable aux hommes [...]. Il s'est rabaissé lui-même, se rendant
obéissant jusqu'à la mort, et jusqu'à la mort de la croix. C'est pourquoi
Dieu l'a élevé par-dessus toutes choses, et lui a donné un nom qui est au-
dessus de tout nom » (Epître aux Philippiens 2, 7-9). D'autre part le paradoxe de la folie de la croix : « Car la parole de la croix est une folie pour
ceux qui se perdent, mais pour ceux qui se sauvent, c'est-à-dire pour
nous, elle est la vertu et la puissance de Dieu » (Première épître aux Corinthiens 1, 18 et *passim*).   6. Degré extrême (sans idée de dépassement).
« Effort » : ici, dans le sens de « haut fait ».

Veut pour nous en victime être offert chaque jour[1].
Mais j'ai tort d'en parler à qui ne peut m'entendre[2],
Voyez l'aveugle erreur que vous osez défendre.
1665 Des crimes les plus noirs vous souillez tous vos
                                    [dieux,
Vous n'en punissez point qui n'ait son maître aux
La prostitution *, l'adultère, l'inceste[3],   [cieux.
Le vol, l'assassinat, et tout ce qu'on déteste,
C'est l'exemple qu'à suivre offrent vos immortels ;
1670 J'ai profané leur temple, et brisé leurs autels,
Je le ferais encor si j'avais à le faire.
Même aux yeux de Félix, même aux yeux de Sévère,
Même aux yeux du sénat, aux yeux de l'empereur.

FÉLIX

Enfin ma bonté cède à ma juste fureur,
1675 Adore-les, ou meurs.

POLYEUCTE
            Je suis chrétien.

FÉLIX
                       Impie.
Adore-les, te dis-je, ou renonce à la vie.

POLYEUCTE
Je suis chrétien.

---

1. Les v. 1661-1662 font allusion à la célébration quotidienne de l'eucharistie, qui actualise le sacrifice du Christ. L'assimilation du Christ à la victime du sacrifice expiatoire a son origine dans l'Epître aux Hébreux, qui le compare aux offrandes imparfaites de l'ancienne Alliance : « Combien plus le sang de Jésus-Christ, qui par le Saint-Esprit s'est offert lui-même à Dieu comme une victime sans tache, purifiera-t-il notre conscience des œuvres mortelles, pour nous faire rendre un vrai culte au Dieu vivant ? » (9, 13). Ce terme de « victime » est par ailleurs très présent dans le canon, ou prière eucharistique, de la messe tridentine (rituel liturgique observé jusqu'à la réforme de Vatican II) : « Nous présentons à votre glorieuse Majesté [...] la victime parfaite, la victime sainte, la victime sans tache... » **2.** Cf. v. 1233-1234 et 1553. **3.** Cf. v. 839.

FÉLIX

Tu l'es ? ô cœur trop obstiné !
Soldats, exécutez l'ordre que j'ai donné[1].

PAULINE

Où le conduisez-vous ?

FÉLIX

A la mort.

POLYEUCTE

A la gloire[2],
1680 Chère Pauline, adieu, conservez ma mémoire[3].

PAULINE

Je te suivrai partout, et mourrai, si tu meurs.

POLYEUCTE

Ne suivez point mes pas, ou quittez vos erreurs.

FÉLIX

Qu'on l'ôte de mes yeux, et que l'on m'obéisse,
Puisqu'il aime à périr, je consens qu'il périsse.

Scène 4

FÉLIX, ALBIN

FÉLIX

1685 Je me fais violence *, Albin, mais je l'ai dû,
Ma bonté naturelle aisément m'eût perdu.
Que la rage du peuple à présent se déploie,

---

1. L'édition de 1643 ajoutait ici la didascalie suivante : « Cléon et les autres
gardes sortent et conduisent Polyeucte, Pauline le suit. »   2. Dans le
sens de « gloire de Dieu » et non de « célébrité » (voir note 3, p. 59).
3. A mettre en parallèle avec la réplique de Sévère au v. 549. Cette recommandation que fait Polyeucte à Pauline de conserver sa mémoire anticipe
la scène finale où Pauline et son père s'apprêteront à rendre aux martyrs
les honneurs de la sépulture. Voir également la notice « Martyre », p. 199.

Que Sévère en fureur tonne, éclate, foudroie,
M'étant fait cet effort j'ai fait ma sûreté.
1690 Mais n'es-tu point surpris de cette dureté[1] ?
Vois-tu comme le sien des cœurs impénétrables,
Ou des impiétés * à ce point exécrables ?
Du moins j'ai satisfait mon esprit affligé,
Pour amollir son cœur je n'ai rien négligé,
1695 J'ai feint même à tes yeux des lâchetés extrêmes,
Et certes sans l'horreur de ses derniers blasphèmes
Qui m'ont rempli soudain de colère et d'effroi,
J'aurais eu de la peine à triompher de moi.

ALBIN

Vous maudirez peut-être un jour cette victoire
1700 Qui tient je ne sais quoi d'une action * trop noire,
Indigne de Félix, indigne d'un Romain,
Répandant votre sang par votre propre main.

FÉLIX

Ainsi l'ont autrefois versé Brute et Manlie[2],
Mais leur gloire en a crû, loin d'en être affaiblie,
1705 Et quand nos vieux héros avaient de[3] mauvais sang,
Ils eussent pour le perdre ouvert leur propre flanc.

ALBIN

Votre ardeur vous séduit[4], mais quoi qu'elle vous
Quand vous la sentirez une fois refroidie,   [die[5],
Quand vous verrez Pauline, et que son désespoir
1710 Par ses pleurs, et ses cris saura vous émouvoir...

---

1. Voir note 3, p. 111.   2. Manlius Torquatus, héros romain du
IVe siècle av. J.-C., fit exécuter son propre fils, parce qu'il n'avait pas res-
pecté ses ordres en livrant un combat singulier, victorieux du reste, contre
un soldat de l'armée ennemie. Lucius Junius Brutus, héros romain du
VIe siècle av. J.-C., mit à mort ses deux fils accusés de travailler à la restauration de la royauté. Les deux héros étaient connus des contemporains
de Corneille, notamment par le récit de Tite-Live.   3. Pour « du mauvais sang ». « De » partitif sans article. Voir Spillebout, *op. cit.*, p. 59.
4. Induit au mal.   5. La forme « die » pour « dise » (subjonctif du verbe
« dire ») fait partie de la langue courante du XVIIe siècle.

FÉLIX

.ne fais souvenir qu'elle a suivi ce traître,
Et que ce désespoir qu'elle fera paraître
De mes commandements pourra troubler l'effet[1].
Va donc, cours-y mettre ordre et voir ce qu'elle fait,
1715 Romps ce que ses douleurs y donneraient
                                          [d'obstacle,
Tire-la, si tu peux, de ce triste[2] spectacle,
Tâche à la consoler, va donc, qui te retient ?

ALBIN

Il n'en est pas besoin, Seigneur, elle revient.

Scène 5

FÉLIX, PAULINE, ALBIN

PAULINE

Père barbare, achève, achève ton ouvrage,
1720 Cette seconde hostie[3] est digne de ta rage,
Joins ta fille à ton gendre, ose, que tardes-tu ?
Tu vois le même crime ou la même vertu,
Ta barbarie en elle a les mêmes matières.
Mon époux en mourant m'a laissé ses lumières,
1725 Son sang dont tes bourreaux viennent de me couvrir
M'a dessillé les yeux, et me les vient d'ouvrir[4].
Je vois, je sais, je crois, je suis désabusée[5],

---

1. Exécution.   2. Funèbre. Sens plus fort que le sens actuel.   3. Victime d'un sacrifice.   4. Le contenu des vers 1725-1729 laisse entendre que Pauline a reçu le baptême par la seule aspersion du sang de son mari, autrement dit en l'absence du rite sacramentel. Cette manière de présenter les choses procède de la combinaison de deux concepts distincts : d'une part, le « baptême du sang » du martyr, qui recèle toutes les propriétés du sacrement ordinaire (c'est ce qui est arrivé au véritable Polyeucte de l'hagiographie ; voir l'Abrégé, p. 42-43) ; d'autre part, la communion des saints, qui suppose la transmission des biens spirituels au sein de la communauté des croyants, morts ou vivants (voir Dossier, p. 205-206). Cette association est anticipée dans la prière d'intercession de Polyeucte pour Pauline, en particulier au v. 1274.   5. Détrompée (je découvre enfin la vérité).

De ce bienheureux sang tu me vois baptisée,
Je suis chrétienne enfin, n'est-ce point assez dit ?
1730 Conserve en me perdant ton rang et ton crédit,
Redoute l'empereur, appréhende Sévère ;
Si tu ne veux périr, ma perte est nécessaire.
Polyeucte * m'appelle à cet heureux trépas.
Je vois Néarque et lui qui me tendent les bras.
1735 Mène, mène-moi voir tes dieux que je déteste[1],
Ils n'en ont brisé qu'un, je briserai le reste,
On m'y verra braver tout ce que vous craignez,
Ces foudres impuissants qu'en leurs mains vous
                                              [peignez,
Et saintement rebelle aux lois de la naissance,
1740 Une fois envers toi manquer d'obéissance.
Ce n'est point ma douleur que par là je fais voir,
C'est la grâce qui parle, et non le désespoir.
Le faut-il dire encor, Félix ? je suis chrétienne,
Affermis par ma mort ta fortune, et la mienne,
1745 Le coup à l'un et l'autre en sera précieux *,
Puisqu'il t'assure en terre, en m'élevant aux cieux.

Scène 6

FÉLIX, SÉVÈRE, PAULINE, ALBIN, FABIAN

SÉVÈRE

Père dénaturé, malheureux politique,
Esclave ambitieux * d'une peur chimérique,
Polyeucte * est donc mort, et par vos cruautés
1750 Vous pensez conserver vos tristes dignités !
La faveur que pour lui je vous avais offerte
Au lieu de le sauver précipite sa perte,
J'ai prié, menacé, mais sans vous émouvoir,
Et vous m'avez cru fourbe ou de peu de pouvoir.
1755 Eh bien, à vos dépens vous verrez que Sévère
Ne se vante jamais que de ce qu'il peut faire,
Et par votre ruine * il vous fera juger

---

1. Voir note 4, p. 116. L'acte de parole équivaut ici à une abjuration de la
religion païenne.

Que qui peut bien vous perdre eût pu vous protéger.
Continuez aux dieux ce service fidèle,
1760 Par de telles horreurs montrez-leur votre zèle [1],
Adieu, mais quand l'orage éclatera sur vous,
Ne doutez point du bras dont partiront les coups.

FÉLIX

Arrêtez-vous, Seigneur, et d'une âme apaisée
Souffrez que je vous livre une vengeance aisée.
1765 Ne me reprochez plus que par mes cruautés
Je tâche à conserver mes tristes dignités,
Je dépose à vos pieds l'éclat de leur faux lustre ;
Celle où j'ose aspirer est d'un rang plus illustre,
Je m'y trouve forcé par un secret [2] appas,
1770 Je cède à des transports que je ne connais pas,
Et par un mouvement [3] que je ne puis entendre
De ma fureur je passe au zèle [4] de mon gendre.
C'est lui, n'en doutez point, dont le sang innocent
Pour son persécuteur prie un Dieu tout-puissant,
1775 Son amour épandu sur toute la famille
Tire après lui le père aussi bien que la fille :
J'en ai fait un martyr, sa mort me fait chrétien,
J'ai fait tout son bonheur, il veut faire le mien,
C'est ainsi qu'un chrétien se venge et se courrouce [5],
1780 Heureuse cruauté [6] dont la suite est si douce !
Donne la main, Pauline. Apportez des liens *,
Immolez à vos dieux ces deux nouveaux chrétiens,
Je le suis, elle l'est, suivez votre colère.

PAULINE

Qu'heureusement enfin je retrouve mon père !
1785 Cet heureux changement rend mon bonheur parfait.

---

1. Amour.   2. Ici, dans le sens d'« intérieur ».   3. Voir note 1,
p. 80.   4. Amour.   5. Allusion à la douceur dont témoignent les
martyrs à l'égard de leurs persécuteurs, auxquels ils sont toujours les premiers à pardonner. Les récits hagiographiques abondent en anecdotes édi-
fiantes à ce propos, où l'on voit par exemple un supplicié se préoccuper
du salaire de son bourreau. Dans le cas présent, les bienfaits accordés au
persécuteur sont d'ordre spirituel et relèvent du miracle.   6. L'expression rappelle indirectement le paradoxe de la *Felix culpa*, célébrée dans le
chant de l'*Exsultet* qui inaugure la liturgie pascale : « O faute bienheureuse,
qui nous a valu un tel et si grand Rédempteur ! »

FÉLIX

Ma fille, il n'appartient qu'à la main qui le fait.

SÉVÈRE

Qui ne serait touché d'un si tendre spectacle ?
De pareils changements ne vont point sans miracle,
Sans doute[1] vos chrétiens qu'on persécute en vain
1790 Ont quelque chose en eux qui surpasse l'humain ;
Ils mènent une vie avec tant d'innocence,
Que le ciel leur en doit quelque reconnaissance.
Se relever plus forts, plus ils sont abattus[2]
N'est pas aussi l'effet des communes vertus.
1795 Je les aimai toujours, quoi qu'on m'en ait pu dire,
Je n'en vois point mourir que[3] mon cœur n'en
                                              [soupire,
Et peut-être qu'un jour je les connaîtrai mieux.
J'approuve cependant que chacun ait ses dieux,
Qu'il les serve à sa mode, et sans peur de la peine.
1800 Si vous êtes chrétien, ne craignez plus ma haine,
Je les aime, Félix, et de leur protecteur
Je n'en veux pas sur vous faire un persécuteur[4].
Gardez votre pouvoir, reprenez-en la marque[5],
Servez bien votre dieu, servez notre monarque,
1805 Je perdrai mon crédit envers sa majesté,
Ou vous verrez finir cette sévérité[6],
Par cette injuste haine il se fait trop d'outrage.

---

1. Incontestablement.   2. Ce vers est quasiment une traduction d'une célèbre formule de Tertullien : *« Plures efficimur quoties metimur a vobis »* (*Apologétique*, 50, 13). La seconde partie de la formule fournit l'inspiration du v. 672.   3. Pour « sans que ». Voir Spillebout, *op. cit.*, p. 309-310.   4. Comprendre : Je ne veux pas passer du statut de « protecteur » des chrétiens à celui de « persécuteur » en m'acharnant sur vous.   5. La marque du pouvoir est sans doute un sceptre ou un bâton de commandement que Félix a voulu déposer en prononçant le vers 1767. Ce type de jeu de scène est fréquent dans les pièces françaises des années 1630-1640 (voir M. Vuillermoz, *Le Système des objets dans le théâtre français des années 1625-1640*, Genève, Droz, 2000, p. 168-173). Dans aucune édition de *Polyeucte martyr* toutefois une didascalie ne mentionne un tel jeu de scène.   6. En attribuant à Sévère l'intention d'intervenir auprès de l'empereur, Corneille ne contrevient pas forcément à la vérité historique. Certes, Decius n'a jamais changé d'attitude à l'égard du christianisme, mais il est mort très rapidement (voir note 2, p. 121). Il est dès lors loisible d'imaginer que Sévère n'a pas eu le temps de mener à bien sa démarche.

FÉLIX

Daigne le ciel en vous achever son ouvrage,
Et pour vous rendre un jour ce que vous méritez,
1810 Vous inspirer bientôt toutes ses vérités.
Nous autres, bénissons notre heureuse aventure[1],
Allons à nos martyrs donner la sépulture[2],
Baiser leurs corps sacrés, les mettre en digne lieu,
Et faire retentir partout le nom de Dieu.

FIN

---

1. Le terme, dans la langue de l'époque, sert simplement à désigner un concours d'événements.   **2.** Sur la sépulture des martyrs, voir la notice « Martyre », p. 200.

DOSSIER

COMMENTAIRES

Les représentations originales de Polyeucte martyr

Il est impossible d'établir avec précision la date de la première représentation de la pièce et de la série de représentations qui lui succéda[1]. Seule certitude : la création a eu lieu quelques semaines au moins avant le 20 octobre 1643, date à laquelle la pièce a été imprimée pour la première fois[2]. En effet, selon l'usage de l'époque, on publie une pièce une fois seulement que les représentations sont achevées : aussi longtemps que le spectacle tient l'affiche, le texte de l'œuvre, cédé par l'auteur contre rémunération, appartient à la troupe qui le joue et qui en détient ainsi l'exclusivité. Ce n'est qu'à l'issue des représentations que la troupe « rend » sa pièce à l'auteur, qui est ainsi en droit de la faire publier. Une fois parue, la pièce peut être reprise par n'importe quelle troupe, sans bénéfice pour l'auteur ni pour les comédiens qui l'ont originellement créée. Ce sont en général les troupes dites « de campagne » (troupes de professionnels itinérants qui évoluent principalement en province) qui s'approprient les succès de la capitale et les font connaître au reste du pays. Toutefois, dans le cas de *Polyeucte* et de quelques tragédies que Corneille a

---

1. A l'heure actuelle, les spécialistes situent la date de création de *Polyeucte* entre les mois de novembre 1642 et de janvier 1643. On trouvera un raisonnement complet sur cette question dans l'édition de G. Couton, *op. cit.*, t. I, p. 1621-1622. Voir également les articles de R. Pintard et E. Rigal en Bibliographie.   2. Pour quelques indications sur la fortune éditoriale de *Polyeucte*, voir la Note sur l'établissement du texte, p. 34.

composées à la même époque (*Cinna*, *Pompée*), on ne saurait écarter l'hypothèse de reprises par d'autres troupes fixes de la capitale, directement rivales de celle qui les avait créées[1]. Preuve que le succès des tragédies cornéliennes était tel que les concurrents de la place choisissaient de les mettre à leur tour à l'affiche, plutôt que de se contenter de commander à leurs auteurs attitrés des pièces nouvelles tentant de les imiter[2].

La troupe qui a créé *Polyeucte* est le Théâtre du Marais, troupe qui, depuis la première d'entre elles (*Mélite*, 1629), avait représenté toutes les pièces de Corneille, et dont l'essor s'était fondé sur le succès rencontré par les créations cornéliennes[3]. Le Théâtre du Marais était en rivalité immédiate avec l'autre troupe fixe de Paris, le Théâtre de l'Hôtel de Bourgogne : concurrence tantôt loyale et tantôt déloyale, impliquant reprise des mêmes sujets, détournements d'acteurs, et parfois coups bas de part et d'autre[4].

Le Théâtre du Marais se produisait dans une salle située rue Vieille-du-Temple, dont l'architecture intérieure nous est malheureusement inconnue en raison de l'incendie qui détruisit le bâtiment en 1644. Toutefois plusieurs indices amènent à penser que la salle issue de la reconstruction (et qui, elle, nous est connue par plusieurs documents) ne devait guère différer de l'ancienne.

---

1. En effet, on a découvert un « projet de lettres patentes concédant à P. Corneille le droit de ne laisser jouer ses pièces qu'aux troupes autorisées par lui », datant du 1er janvier 1643 (texte dans les *Œuvres*, éd. G. Couton, *op. cit.* t. I, p. 1684-1685). Par cette démarche l'auteur de *Polyeucte* avait tenté d'élargir ses prérogatives, en interdisant la représentation de ses pièces sans son autorisation, y compris une fois celles-ci publiées. Dans le texte qu'il avait rédigé, Corneille déplorait que, contrairement à l'usage, certaines de ses tragédies eussent été reprises par « les autres comédiens » (sous-entendu « de Paris »).   **2.** Rappelons que le succès de *Polyeucte martyr* va susciter à son tour une réaction de la concurrence. Voir Dossier, « Documents », p. 187-188.   **3.** Sur le Théâtre du Marais, voir l'ouvrage déjà ancien de S. W. Deierkauf-Holsboer (cf. Bibliographie).   **4.** A partir de 1643, une troisième troupe entrera dans le jeu, l'Illustre-Théâtre, dirigée par le jeune Molière, qui se tournera aussi vers la tragédie chrétienne (voir C. Bourqui, « Molière interprète de tragédies hagiographiques », *Revue d'histoire littéraire de la France* 101, 2001, p. 21-36).

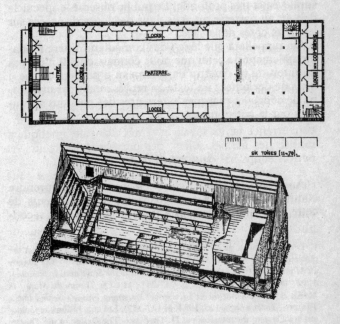

Le Théâtre du Marais après sa réfection en 1644,
reconstitution par S.W. Deierkauf-Holsboer.

Ainsi en observant page 163 le dessin réalisé par
S. W. Deierkauf-Holsboer[1], on peut se faire une idée
approximative de l'espace théâtral dans lequel a été créé
Polyeucte : une salle bien plus longue que large (originellement les salles de théâtre étaient destinées au jeu de
paume, sport pratiqué à l'époque et dont le principe est
analogue à celui du tennis moderne), munie d'une scène
surélevée et très profonde. Le public observe le spectacle
debout au parterre ou assis dans des loges disposées sur
les deux côtés de la salle.

On rappellera que le jeu des comédiens diffère fonda-
mentalement de celui que nous connaissons. Il n'est pas
question de se « mettre dans la peau d'un personnage »,
mais de déclamer[2] un texte en représentant par une ges-
tuelle codée les marques extérieures des passions éprou-
vées par le personnage.

Analyse de la pièce

Analyser *Polyeucte*, c'est essayer de comprendre
comment la pièce a été construite, quels éléments de
cette construction sont prioritaires, lesquels sont secon-

1. Les conclusions de Deierkauf-Holsboer ont été mises en question sur
plusieurs points par John Golder (voir les articles suivants : « *The Theatre
du Marais after 1650 : Structural Modifications to the Stage and Auditorium* »,
Maske und Kothurn 31, 1988, p. 247-251 ; et « *The Theatre du Marais in
1644 : A New Look at the Old Evidence Concerning France's Second Public
Theatre* », *Theatre Survey* 25, 1984, p. 127-152). Les conclusions de Golder
ont été à leur tour contestées par D. Thomas (« The Design of the Théâtre
du Marais : A Computer-based Investigation », *Theatre Notebook* 53, 1999,
p. 127-145). On pourra se faire une idée plus précise de l'espace intérieur des salles de théâtre de l'époque à partir des reconstitutions réalisées par Christa Williford au moyen de l'outil informatique. Voir en
particulier sa reconstitution de la salle du Palais-Royal sur Internet
sous http ://www.warwick.ac.uk/fac/arts/Theatre_S/staff/christa.html. La
même spécialiste annonce l'ouverture prochaine d'un site sur le Théâtre
du Marais.   2. Sur la déclamation, on se reportera à l'ouvrage de Sabine
Chaouche, *L'Art du comédien. Déclamation et jeu scénique en France à l'âge
classique (1629-1680)*, Paris, Champion, 2001. Pour un point de vue
orienté vers la pratique, voir Eugène Green, *La Parole baroque*, Paris, Desclée de Brouwer, 2001 (l'ouvrage est accompagné d'un CD présentant des
exemples de déclamation).

daires, de quelle manière enfin, à partir de ces éléments, l'œuvre crée du sens.

Les recherches récentes[1] ont rappelé que, pour Corneille comme pour la majorité de ses contemporains, dans la composition d'une pièce de théâtre, c'est avant tout par le biais du sujet (l'histoire que raconte la pièce) que se constitue la signification de l'œuvre. La construction de l'intrigue issue de ce sujet vise, dans un deuxième temps, à lui donner sa pleine efficacité. Enfin, ce que nous appelons la psychologie des personnages, de même que les discours moraux et politiques, viennent en troisième lieu, leur fonction principale étant de contribuer à la cohérence de l'intrigue.

LE SUJET

Choix du sujet. Il n'est guère imaginable que Corneille ait choisi son sujet sur la base de ses propres connaissances hagiographiques : Polyeucte est un saint de réputation très mineure, dont on ne connaît aucune évocation en France avant la tragédie de 1643. Par ailleurs, il suffit d'avoir feuilleté les gigantesques volumes du recueil de Surius[2] pour comprendre que le hasard de la consultation ne saurait non plus fournir une explication plausible à l'option cornélienne. Incontestablement, c'est la version théâtrale du martyre de *Polietto*, créée à Rome quelques années auparavant, qui a attiré l'attention de Corneille sur ce saint méconnu[3]. Le dramaturge en quête d'un sujet à martyre a pu déceler en effet, dans l'œuvre de son prédécesseur Girolamo Bartolommei, un matériau particulièrement opportun. En effet, pour des raisons que nous allons exposer ci-dessous, l'histoire du saint briseur d'idoles représentait une des rares possibilités de réaliser une tragédie moderne, au sens où l'entendait Corneille, en se fondant sur l'histoire d'un

---

1. Principalement celles que G. Forestier a menées dans ses deux ouvrages sur Corneille (voir Bibliographie). On trouvera également un exposé succinct des positions théoriques de Corneille et de ses contemporains dans l'édition des *Discours* de Corneille par M. Escola et B. Louvat (*op. cit.*). 2. Voir note 1, p. 39.   3. Corneille connaissait de près la pièce, comme le démontrent les analyses de W. Drost (article en Bibliographie). Voir, pour de plus amples détails, « Documents », p. 190-197.

chrétien persécuté. De plus, elle offrait l'avantage décisif de fournir directement, dans la source hagiographique même, les ingrédients nécessaires à la composition d'une bonne tragédie. Ce qui, du même coup, épargnait à Corneille de recourir à l'invention de personnages et d'épisodes pour rendre le sujet praticable. Non que le fait d'apporter des modifications à la matière historique le gênât par principe : de telles entorses à la donnée des « sources » font partie de son système de création, fondé sur l'« ingénieuse tissure des fictions avec la vérité[1] ». Mais, dans le cas d'un martyr canonisé par l'Eglise, Corneille était confronté à une matière éminemment délicate. L'Examen de la pièce, qui s'aventurera à discuter le traitement des sujets sacrés au théâtre[2], évoque le caractère hasardeux d'une telle entreprise. Certes, la matière hagiographique n'appelle pas les mêmes restrictions que la matière biblique ; elle n'en tolère pas pour autant la liberté qu'autorise l'histoire profane : attribuer à un saint des attaches amoureuses fictives, ou faire de lui, sans la caution d'une source historique, la victime d'un persécuteur issu de son entourage familial, constituerait une entreprise d'une audace inacceptable.

Cependant, une fois concédées les quelques précautions imposées par la spécificité de la matière religieuse, il faut bien reconnaître que l'histoire du martyre de Polyeucte constitue, sur le plan dramaturgique, un excellent sujet de tragédie. Elle se recommande en particulier, par l'inscription, dans sa donnée, des trois éléments suivants, tous trois d'importance capitale :

• *Un martyr de type « offensif »*. En règle générale, le martyr est un personnage passif dont le destin obéit à un canevas sans surprise : dénoncé ou pris sur le fait, il avoue et affirme sa foi, résiste avec « constance » aux menaces de son persécuteur et accepte le martyre avec courage, quand ce n'est avec allégresse[3]. Il n'entreprend

_____

1. Voir l'Abrégé, p. 39.   **2.** Voir, p. 46-49.   **3.** Un des meilleurs exemples est celui d'Eustache, martyr dont l'histoire a plusieurs fois fait l'objet d'adaptations narratives ou dramatiques à l'époque baroque (entre autres, deux versions théâtrales françaises de B. Baro et Desfontaines, contemporaines de *Polyeucte*) : Eustache, général victorieux, est sur le point d'être récompensé par l'empereur ; un sacrifice est proposé ; Eustache

rien pour échapper à son sort, qu'il considère comme la voie menant au bonheur céleste. Le martyr est un personnage qui subit, qui « pâtit », qui n'accomplit pas d'acte héroïque, dans sa dimension offensive, belliqueuse. Il aura certes assumé courageusement sa foi, en l'affirmant lors d'un interrogatoire, mais il n'aura rien réalisé de spectaculaire pour le prouver. Or c'est précisément dans cette discrétion foncière que réside la nature problématique d'un tel personnage aux yeux du dramaturge : dans l'esprit de Corneille et de ses pairs, le statut de héros de tragédie, personnage de haut rang, implique un agir en conformité avec ce rang, c'est-à-dire des entreprises conquérantes. Un héros ne peut se contenter d'être surpris et de subir.

Du même coup, l'on entrevoit les raisons qui font de Polyeucte un des rares martyrs acceptables pour Corneille. Le saint briseur d'idoles, dans son geste téméraire, prouve sa capacité à entreprendre une action intrépide et rejoint la trajectoire typique du héros conforme aux valeurs aristocratiques. Plutôt que de subir son sort (comme l'y contraindrait la situation topique du chrétien convoqué à un sacrifice païen), il passe à l'offensive et commet l'acte héroïque.

• *Une « structure de violence au sein des alliances »*. Dans son « Discours de la tragédie », Corneille affirme, en traduisant Aristote, que le meilleur des sujets de tragédie est celui où « les choses arrivent entre des gens que la naissance ou l'affection attachent aux intérêts l'un de l'autre [1] ». Les sujets à martyre ne fournissent que très rarement une telle structure. La plupart d'entre eux

refuse d'y participer et affirme ainsi sa foi chrétienne ; l'empereur l'envoie au martyre. Rappelons que l'idée de réaliser un théâtre tragique à martyre provient des jésuites et de l'Italie (voir p. 184-185). Elle se fonde sur une conception de la tragédie encore proche de celle de la Renaissance, fondée sur le rapport persécuteur-victime (tyran-martyr) — conception qui, par ailleurs, exercera une influence non négligeable sur le théâtre français des années 1630-1640, et surtout sur le théâtre baroque allemand. Le principe est le suivant : un puissant persécute une victime qu'il détient en son pouvoir ; celle-ci résiste courageusement en faisant preuve de la vertu stoïcienne de « constance ».

1. « Discours de la tragédie », éd. Louvat-Escola, *op. cit.*, p. 105-106.

nt sur l'antagonisme qui oppose, d'un côté, les
eurs, en général représentants de l'autorité
romain.., et, de l'autre, les victimes chrétiennes. Les
sources historiques ne font état qu'exceptionnellement
d'occasions où deux personnages unis par les liens du
sang ou de l'amitié sont divisés par leur choix confes-
sionnel.

Or c'est précisément ce qui advient dans l'histoire de
Polyeucte, qui satisfait ainsi parfaitement aux conditions
aristotéliciennes : le martyr, en déclarant sa foi par son
geste, affronte le représentant de l'autorité romaine qui
n'est autre que son beau-père, et se trouve ainsi opposé
aux intérêts de sa propre famille.

• *Une composante amoureuse impliquant directement le
héros martyr.* Pour le public du XVIIe siècle, l'amour est
une composante indispensable de la tragédie. Corneille,
certes, est d'avis que cette passion ne doit pas occuper
l'essentiel de l'intrigue[1] ; il reconnaît néanmoins la
nécessité d'impliquer le « premier acteur » (personnage
principal) dans une relation amoureuse, selon deux cas
de figure possibles : soit le personnage éprouve lui-
même le sentiment, soit il en est l'objet de la part d'autrui. On devine le malaise que peut occasionner le trans-
fert d'un tel usage dans le registre du théâtre sacré. Un
saint amoureux ? un saint requis d'amour ? Selon toute
évidence, de telles figures n'abondent pas dans les
annales du martyrologe. De plus, s'il arrive à un saint de
connaître l'amour, il ne peut s'agir que d'une expérience
transitoire, que le récit présentera de manière dépréciative comme une des manifestations périlleuses de la passion mondaine : rien de plus qu'un obstacle à dépasser
sur le chemin de la sainteté[2].

Polyeucte certes n'échappe pas à la règle : son amour
pour Pauline, tel que le décrit Surius, fait office d'en-
trave passagère à sa progression vers le martyre. Mais
ce qui, dans le récit original, fait figure d'imperfection,
comporte deux avantages considérables sur le plan dramaturgique : d'une part, l'amour du saint est inscrit

---

1. *Ibid.*, p. 72. 2. Un excellent exemple serait l'histoire de saint Alexis,
dont il est question dans l'Introduction, p. 22.

dans la donnée hagiographique — cet amour ne risquera donc pas d'apparaître comme une addition de l'auteur, modification hasardeuse dans une matière religieuse ; d'autre part, même si Polyeucte est appelé à dépasser cette passion mondaine, au moins l'occasion est-elle fournie de présenter, dans une première phase de l'action, le personnage en proie au sentiment amoureux, avant son renoncement définitif aux valeurs terrestres. Ainsi, le premier acteur de la tragédie ne courra-t-il pas le risque de paraître platement indifférent à toute attache amoureuse.

A elle seule, la présence de ces trois éléments décisifs suffisait à assurer l'attrait du sujet de Polyeucte aux yeux de Corneille. Mais l'histoire du saint briseur d'idoles avait encore d'autres avantages à faire valoir. En effet, on y reconnaîtra avec Georges Forestier [1] le type de sujet paradoxal que le dramaturge aime à pratiquer depuis *Horace* : celui de l'innocent coupable. Polyeucte, en tant que martyr chrétien, rassemble en un seul individu les exigences antinomiques de la culpabilité (du point de vue païen) et de l'innocence (du point de vue chrétien). Le paradoxe va plus loin encore. A l'intérieur même de la logique chrétienne, Polyeucte peut également être envisagé comme innocent coupable : il a subi le martyre en victime innocente, tout en ayant commis la faute de provoquer ce martyre. D'où l'aptitude du personnage à provoquer la pitié, effet constitutif de la tragédie, en raison même de cette innocence paradoxalement entachée de culpabilité [2].

Enfin, au-delà de ses exceptionnelles potentialités dramaturgiques, l'histoire de Polyeucte présentait une autre source d'intérêt remarquable. La dimension symbolique de l'action principale ne pouvait échapper à un chrétien du XVIIe siècle nourri des écrits des Pères de l'Eglise, bien conscient par conséquent du rôle que le rejet radical du culte païen des idoles avait pu jouer dans l'affirmation du christianisme des premiers siècles. En même temps qu'il fait place nette au culte du Dieu unique, le geste

---

1. *Corneille à l'œuvre, op. cit.* p. 229-232.   2. En effet, selon Aristote, la mort d'un innocent absolu ne provoquerait pas la pitié, mais la révolte (*Poétique*, 52b).

destructeur de Polyeucte est symbole du triomphe de la
religion chrétienne, moment charnière de l'histoire
humaine[1]. Par cet ultime sursaut de l'action, qui voit
accéder à la vraie foi les élites dirigeantes de l'Arménie
romaine, région stratégique de l'Asie Mineure, Corneille
souligne à dessein l'inscription de sa pièce dans le mouvement de l'histoire.

DÉFINITION DU SUJET

Comme le rappelle le titre de la pièce, le « premier
acteur » est Polyeucte. Si l'on s'en rapporte aux préceptes édictés dans les *Discours*[2], c'est sur ce premier
acteur qu'il convient de fonder la définition du sujet :
son sort doit faire l'objet d'un « renversement », en
d'autres termes passer du bonheur au malheur (ou l'inverse). Le sujet, dans sa définition, comprendra donc
trois moments : un début, un milieu et une fin, c'est-à-
dire une situation initiale, une situation d'aboutissement
et un nœud qui fait basculer d'une situation à l'autre[3].
Dans le cas de Polyeucte, la source hagiographique
procure la donnée suivante : le païen Polyeucte se convertit brusquement au christianisme à la faveur d'une discussion avec son ami le chrétien Néarque ; dans le feu de
l'enthousiasme, il brise des idoles qu'un convoi, passant
par hasard, amenait au lieu de culte ; condamné à mort
pour cet acte sacrilège selon la loi romaine, il accepte avec
enthousiasme de subir le martyre malgré les tentatives de
ses proches de l'en dissuader. Indépendamment de toutes
les difficultés liées à la mise en intrigue d'un tel sujet, sa
définition même apparaît problématique. L'impulsion
qui conduit Polyeucte à s'en prendre aux idoles est une
forme de *raptus* dirigé contre un objet présent par hasard ;
elle ne repose donc sur aucune motivation plausible du

---

1. C'est ainsi que le percevra encore Bossuet dans son *Discours sur l'histoire
universelle* (1681). Voir, en particulier, le chapitre XXVI : « Diverses formes de
l'idolâtrie ». Pour une autre approche de la symbolique historique du sujet de
Polyeucte, on se reportera à l'essai *The Tragedy of Origins* (Stanford University
Press, 1996) de John Lyons, au chapitre consacré à la pièce.   **2.** « La perfection de la tragédie consiste à exciter de la pitié ou de la crainte par le moyen
d'un *premier acteur* » (éd. Louvat-Escola, *op. cit.*, p. 103).   **3.** Voir le « Discours de l'utilité et des parties du poème dramatique », *op. cit.*, p. 77.

héros : ni son parcours psychologique antérieur, ni la suite des événements ne paraissent à même de rendre compte de sa détermination, qui répond au seul hasard des circonstances.

Pour remédier aux insuffisances du matériau historique et en extraire un sujet praticable, Corneille introduit une modification essentielle : le bris des idoles a lieu lors d'un sacrifice aux dieux païens. La circonstance devient ainsi officielle et le geste, commis lors d'une cérémonie dont la tenue est annoncée à l'avance, ne doit plus rien au hasard. Mais surtout, cette adjonction de la péripétie du sacrifice n'est pas sans incidence sur toute la construction de la pièce : le nœud de la tragédie va être constitué précisément par l'annonce de cette cérémonie païenne. On le comprend parfaitement à la lecture d'autres récits de martyre et à l'examen des pièces qui en sont tirées dans l'ensemble de l'Europe baroque. La plupart d'entre elles comportent un épisode dans lequel le chrétien est prié d'assister à une célébration païenne, ce qui le place devant une alternative à laquelle il lui est impossible de se soustraire : l'apostasie, s'il accepte de sacrifier aux dieux païens, ou le martyre, s'il révèle sa foi [1] — une position de compromis est impensable, comme le confirmera Polyeucte lui-même (v. 1222). Le nœud de l'action sera donc situé au moment où est annoncée l'arrivée de Sévère (début de la scène I, 4), et non au moment où l'on apprend le bris des idoles : dès l'instant où la nouvelle de la célébration imminente du sacrifice, accompagnant celle de l'arrivée de Sévère, est connue, Polyeucte est condamné au martyre ou à l'apostasie. Sans doute n'est-ce pas un hasard si le terme de « sacrifice » est placé à un endroit frappant, à la fin d'une longue réplique d'Albin, porteur du message (v. 316).

Au vu de cette analyse, la définition du sujet peut donc être envisagée suivant trois moments : « Polyeucte se fait baptiser (début) / on ordonne un sacrifice — et Polyeucte,

---

1. Le caractère radical de cette alternative était particulièrement affirmé sous l'empereur Decius qui, dans sa politique de répression à l'égard des chrétiens, avait promulgué une mesure selon laquelle tous les citoyens de l'Empire devaient sacrifier aux idoles pour obtenir un certificat de non-christianité. Voir note 4, p. 59.

à cette occasion, brise les idoles — (milieu) / Polyeucte subit le martyre (fin) ». En quelque sorte : « baptême / affirmation de la foi / martyre ». Ce qui, du reste, correspond au parcours typique du martyr chrétien, tel que l'ont consigné la plupart des récits hagiographiques.

La construction de l'intrigue

Le sujet étant défini, il reste encore à construire une intrigue qui s'accommode de la division en cinq actes, des contraintes spatio-temporelles imposées par le genre théâtral et renforcées par les règles de l'unité de temps et de l'unité de lieu ; une intrigue qui, de surcroît, permette de ménager certains moments forts comme la déclamation de stances ou de monologues, ainsi que certaines « scènes à faire ». L'élaboration de cette intrigue, par ailleurs, a pour fonction de fournir nombre d'« acheminements », en d'autres termes les circonstances, événements ou motivations psychologiques, qui garantissent à l'action sa cohérence. Comme tout matériau historique brut, le récit hagiographique s'avère en effet impropre à fournir l'ensemble des éléments nécessaires à la cohésion de la fiction théâtrale. Il y a lieu par conséquent d'en pallier les lacunes en inventant des données et des événements, et même en développant certains d'entre eux jusqu'à créer des fragments d'action qui n'intéressent pas essentiellement l'action principale. C'est ce que Corneille appelle des « épisodes[1] ».

Voici quelques-uns des principaux aménagements apportés par Corneille :

• *L'adjonction du personnage de Sévère.* En créant le personnage de Sévère, aimé de Pauline avant qu'elle ne renonce à lui par devoir, Corneille retire deux bénéfices principaux. Tout d'abord, la passion irréalisable des deux anciens amants permet de conférer au sentiment amoureux le traitement valorisant qui lui fait défaut dans la relation du couple de Polyeucte et Pauline. En

---

1. Sur la question de l'épisode, voir le « Premier Discours » de Corneille, éd. Louvat-Escola, *op. cit.*, p. 91.

effet, dans l'histoire originelle du martyr, l'amour humain n'est envisagé que comme passion mondaine supplantée par l'appel du ciel. Ce qui ne favorise guère la création de situations susceptibles de combler les attentes d'un public friand d'émotions sentimentales. Le motif de l'ancien amant revenu trop tard amène en revanche à la création d'une situation élégiaque (« comme on se serait aimés si on avait pu s'aimer ») [1] qui répond aux goûts du spectateur sans entrer en contradiction avec la sainteté du héros martyr. L'histoire d'amour de Pauline et Sévère procure ainsi deux « scènes à faire », les deux entrevues des anciens amants (II, 2 et IV, 3). On observera en particulier que la première de ces entrevues ne peut se prévaloir d'aucune utilité sur le plan de l'avancée de l'intrigue. En effet, de cette rencontre initiale ne dépend ni l'épisode crucial du sacrifice, ni, par conséquent, le bris des idoles [2].

Second bénéfice de l'existence de Sévère : le sacrifice qui sert de prétexte à sa venue et dont la nouvelle constitue le nœud de l'action. En effet, en même temps que le spectateur apprend l'existence d'un rival de Polyeucte [3], il prend connaissance de « l'ordre d'un sacrifice » (v. 321), qui annonce le martyre du nouveau chrétien. En dépit de son statut auxiliaire, l'action seconde contribue ainsi au développement de l'intrigue principale — « vous en êtes la cause, encor qu'innocemment » (v. 1338), dira Pauline à Sévère. Le retour de Sévère est ainsi à l'origine d'un premier coup de théâtre, celui du

---

1. Cette attitude élégiaque est même préparée et définie par Sévère à la fin de la scène précédente : « Laisse-la-moi donc voir, soupirer et mourir » (v. 436) et « Achevons de mourir en lui disant adieu » (v. 428).   2. Petite réserve toutefois : si l'on développe l'interprétation d'un Polyeucte jaloux (voir note suivante), la visite de Sévère peut être envisagée comme l'élément déclencheur de la réaction du futur martyr, et donc de la suite de l'action.   3. On pourrait à la rigueur déceler chez Polyeucte une double motivation à quitter ce monde : l'aspiration au martyre, d'un côté, et, d'un autre côté, l'existence d'un ancien amant de Pauline, aimé d'inclination (et non par devoir, comme lui-même). La motivation religieuse se doublerait ainsi d'une motivation humaine. Cette lecture d'un Polyeucte jaloux a été développée par W. Blechmann et par W. Brooks (voir articles en Bibliographie). Elle avait, au XIXe siècle, fondé l'interprétation du rôle par le grand comédien Mounet-Sully (voir J. Maurens, *op. cit.*, p. 299).

« nouement » de l'action, dès la fin de l'exposition [1], à la scène I, 4. Cette nouvelle inopinée crée par ailleurs, pour les personnages aussi bien que pour les spectateurs, la nécessité d'un « rattrapage » d'information (comment Sévère, que l'on croyait mort au combat, est-il revenu à la vie ?). D'où le développement d'un nouveau récit, confié cette fois à Albin (v. 281-316).

• *Le songe de Pauline.* Comme le relève Corneille dans l'Examen [2], la fonction essentielle du songe de Pauline est de créer les conditions de la mise en œuvre de l'exposition. La question technique à laquelle est confronté le dramaturge est à peu près la suivante : comment rendre crédible le récit de Pauline confiant à Stratonice l'histoire de ses amours contrariées ? Ou la confidente connaît de longue date la vie intime de sa maîtresse, ou, dans le cas contraire, il n'y a aucune raison que cette dernière lui ouvre son cœur au matin de ce qui sera la journée tragique. Il faut donc une bonne raison d'évoquer, au moment utile, les événements d'un passé lointain. Le songe vient à point pour répondre à cette nécessité. En effet, un songe à la fois satisfait le hasard — il peut arriver n'importe quand — et outrepasse le hasard — puisqu'on l'interprète comme annonciateur des événements qui vont suivre. C'est donc en cherchant à donner un sens à sa vision onirique que Pauline sera amenée à livrer aux spectateurs, par Stratonice interposée, toutes les informations dont ils ont besoin pour comprendre un des enjeux essentiels de l'action tragique.

L'exposition est d'ailleurs ménagée en sorte que le spectateur dispose, dans l'ensemble, d'un savoir supérieur à celui des autres personnages. Ainsi, ce spectateur

---

1. Pour ce qui concerne l'exposition, voir ci-dessous et p. 74.   2. Voir p. 52. Dans l'Examen d'*Horace*, tragédie jouée trois ans environ avant *Polyeucte*, et qui comprend aussi un songe prémonitoire, Corneille s'exprimait ainsi sur cet artifice d'exposition : « Je voudrais qu'ils [les songes] eussent l'idée de la fin véritable de la pièce, mais avec quelque confusion qui n'en permît pas l'intelligence entière. C'est ainsi que je m'en suis servi deux fois, ici, et dans *Polyeucte*, mais avec plus d'éclat et d'artifice dans ce dernier poème, où il marque toutes les particularités de l'événement » (éd. Couton, *op. cit.*, t. I, p. 842).

sait à la fois que Polyeucte va se faire baptiser (ce qu'ignore Pauline), et que Pauline a aimé Sévère (ce qu'ignore Polyeucte). Il est donc en mesure de percevoir, au moment du nœud, tout l'enjeu que représente l'arrivée du rival. Sur le plan humain, mais aussi sur le plan religieux : à l'instant où le mot « sacrifice » est prononcé, le spectateur a compris que le chrétien est désormais dans l'impossibilité de se soustraire à son destin.

• *Le baptême de Polyeucte.* Dans le récit de Surius, Polyeucte décide inopinément, à l'issue d'une conversation, de manifester sa foi nouvelle (il n'est pas encore baptisé), en brisant des idoles dont le convoi croise opportunément son chemin. Nous avons mesuré la fragilité d'une telle motivation sur le plan dramaturgique. Non seulement la psychologie du personnage souffre d'un manque de consistance, mais l'enchaînement des causes se révèle boiteux : pourquoi cette conversation et cette décision à ce moment précis plutôt qu'à un autre ? Et comment justifier un geste aussi peu utile à la cause des chrétiens que préjudiciable à son auteur, sinon par une réaction assez peu estimable de fureur anti-païenne ? En veillant à ce que son héros reçoive le baptême avant de passer à l'acte, Corneille échappe à de telles impasses. Il procure au geste de Polyeucte une justification sur le plan psychologique : c'est la grâce conférée par ce baptême qui explique l'élan irrépressible entraînant le nouveau chrétien au bris des idoles. Loin de se profiler comme le jouet d'impulsions incontrôlées, Polyeucte est en quelque sorte guidé par cette inspiration divine, qui l'enjoint de récuser, par un geste symbolique, le crédit des faux dieux. Par ailleurs, le baptême introduit par Corneille institue Polyeucte au rang de véritable chrétien (ce qu'il n'était pas chez Surius, où son entrée dans la communauté des baptisés est effective seulement au moment de son martyre[1]), et place ainsi son héros devant l'alternative de l'abjuration ou du martyre.

On observera par ailleurs que les motifs du songe et du baptême, même s'ils procèdent de deux impératifs dramaturgiques distincts, sont entremêlés de manière

---

1. Sur le principe du baptême du sang, voir note 4, p. 154.

très habile. Le songe de Pauline crée une appréhension qui l'amène à tenter d'empêcher toute sortie de Polyeucte. L'obstacle opposé ainsi au baptême favorise la mise en évidence des enjeux de ce sacrement : Néarque saisit l'occasion de rappeler à Polyeucte la véritable échelle des valeurs et de souligner les exigences radicales d'une conversion. En telle manière que, dès la première scène, le thème fondamental de la pièce est posé : l'opposition entre le Ciel et le Monde.

• *Un second coup de théâtre : le bris des idoles.* Au moment où Polyeucte est invité à se rendre au sacrifice (II, 5), le public (qui, rappelons-le, ignore presque tout de ce saint mineur) s'attend à ce que le chrétien, conformément à la tradition des récits de martyre, refuse de participer au culte des idoles (décision qui devrait l'amener à la mort annoncée par le titre de la pièce). Or Polyeucte accepte sans sourciller (v. 629) de se rendre où « on [l]'appelle » (v. 637). Cette décision bouleverse complètement la représentation que le spectateur peut se faire de la suite de l'histoire [1] : Polyeucte consent-il vraiment à se plier aux ordonnances de la religion païenne ? va-t-il donc abjurer ? comment pourra-t-il concilier sa présence à un sacrifice païen et sa foi chrétienne ? Quelques répliques plus bas, autre surprise : on apprend que Polyeucte a l'intention de briser les idoles (v. 643), ce qui va immanquablement l'amener au martyre. Nouveau renversement et retour, si l'on peut dire, au cours normal de l'intrigue. La pièce offre ainsi un coup de théâtre en deux temps : écart subit de la ligne prévisible des événements, puis reprise, tout aussi brusque, de cette ligne.

• *Un troisième coup de théâtre : Pauline abandonnée par Polyeucte.* Le spectateur a vu Polyeucte captif faire appeler Sévère auprès de lui, sous prétexte d'un secret à lui confier (v. 1093-1100). Il spéculera peut-être sur la nature d'un tel secret, qu'aucun indice cependant ne lui permet de deviner. Il ne s'attend pas, en tout cas, à ce que Polyeucte, au moment où Sévère se présente, fasse

---

1. La repartie stupéfaite de Néarque (v. 638-639) assume assez exactement, sans doute, ce qui a pu être la réaction de ce public non averti.

à son rival la proposition de lui abandonner Pauline (IV,
4). Cette générosité, même si elle s'inscrit dans le prolongement de la résolution ascétique manifestée au fil
des stances (IV, 2), demeure incompréhensible à l'aune
des appréciations humaines. Remettre la femme qu'on
aime à l'homme qui la convoite : un tel geste, aux yeux
d'un contemporain de Corneille, est de l'ordre du pro-
dige, en ce qu'il conteste les lois élémentaires de l'amour
et de l'honneur[1] ; il présente un caractère sublime qui
n'est pas sans analogie avec la clémence d'Auguste dans
Cinna (V, 3). C'est un troisième coup de théâtre après
ceux de l'annonce du retour de Sévère et de la décision
du bris des idoles.

• *Les conversions de Félix et de Pauline.* Le récit de l'hagiographe Surius, indifférent aux personnages autres
que Néarque et Polyeucte, n'apportait aucune information sur ce qu'il advenait de Félix et de Pauline après la
mort du martyr. En effet, à moins de s'étendre sur les
remords des persécuteurs, ou les châtiments qui leur
reviennent de droit, les vies de saints ne s'attardent
jamais sur le sort des méchants. Mais un dramaturge
ne peut s'accommoder d'un tel silence, qui laisserait la
curiosité du spectateur insatisfaite et ne permettrait pas
de considérer une pièce de théâtre comme achevée. Corneille résout l'aporie en inventant les conversions de
l'épouse et du beau-père de Polyeucte, qu'il place à la
fin du cinquième acte. L'adhésion de Pauline et de Félix
à la foi chrétienne fait disparaître les dernières sources
potentielles de conflit et donc de rebondissement de
l'histoire, règle le sort de ces deux personnages et rend
ainsi la pièce « complète », comme l'explique Corneille
dans l'Examen[2]. En apparence contestable sur le plan
de la vraisemblance psychologique, ces conversions peuvent toutefois trouver une justification dans leur dimen-

---

1. Il était cependant familier du public de théâtre : il a été mis en scène à
plusieurs reprises dans des tragédies contemporaines de *Polyeucte* : *Les
Rivaux amis* (1639) de Boisrobert, *Cléopâtre* (1636) de Benserade, et *Antigone* (1639) de Rotrou ; voir H. C. Lancaster, *A History of French Dramatic
Literature in the Seventeenth Century*, Baltimore, 1936, Part II, p. 322.
2. Voir p. 53.

sion miraculeuse, en référence à la doctrine de la communion des saints[1]. Corneille invoquera donc le miracle un peu comme il invoquera ailleurs la vérité historique[2] : de tels événements ne « sortent pas de la vraisemblance », simplement parce qu'ils sont attestés — et le spectateur est porté naturellement à croire ce qu'il sait être avéré, que cela soit vraisemblable ou non. Cela étant, il faut bien reconnaître que, dans le cas de Félix, la conversion correspond à une loi du genre : il est fréquent dans les pièces à martyre que le persécuteur, voire le bourreau, se convertisse[3]. Pour Pauline, en revanche, l'entorse à la vraisemblance psychologique sera atténuée, de manière assez irrégulière du reste, par le recours à la notion de baptême du sang[4].

A ces modifications majeures dans la matière de l'histoire se joignent quelques aménagements de moindre conséquence. La plupart d'entre eux s'expliquent par l'impérative soumission aux règles des unités, qui s'imposent à la composition dramatique française à partir des années 1640. Dans son Examen rédigé pour l'édition de 1660, Corneille s'attache particulièrement à décrire les adaptations nécessaires si l'on veut se conformer à ces exigences. On se reportera à ce texte, ainsi qu'aux commentaires qui l'accompagnent[5]. La détention de Polyeucte appelle une observation qui pourrait prolonger celles de Corneille. Lorsque Félix donne l'ordre de conduire le prisonnier dans son palais (v. 1076), il songe en principe à garantir une sûreté de détention que menace la révolte populaire perçue comme imminente. En fait, cette précaution rejoint les intérêts du dramaturge, qui doit satisfaire à deux exigences difficiles à concilier : introduire une scène de cap-

---

1. Voir Dossier, « Documents », p. 205-206.   **2.** Voir, pour une rapide synthèse sur l'utilisation de l'histoire chez Corneille, l'introduction aux *Discours* par Escola/Louvat, *op. cit.*, p. 250-256.   **3.** Un exemple parmi d'autres : l'histoire de saint Adrien, souvent représentée sur la scène jésuite (en particulier, par le Français L. Cellot, dont la version de 1630 sera mise à contribution par Rotrou pour son *Véritable Saint Genest*).   **4.** Voir la note 4, p. 154.   **5.** Voir p. 50-53.

177

tivité[1], et maintenir l'unité de lieu. Le déplacen
détenu permettra de présenter Polyeucte dans sa p
sans contrevenir à la règle, puisque la geôle coïn..ue
avec le palais du gouverneur.

LES CONSIDÉRATIONS « MORALES »

Corneille l'affirmait lui-même : il composait avant
tout une pièce de théâtre qui devait fonctionner, c'est-
à-dire produire son effet sur le public. C'est en premier
lieu par l'agencement de l'intrigue qu'il prétendait parvenir à cette fin. Les considérations « morales », en
d'autres termes les discours de psychologie, d'éthique,
de politique, attribués aux personnages pour commenter
et justifier leurs actes, n'étaient à ses yeux que « broderie[2] ». Il faut entendre par là qu'elles venaient après coup
dans sa démarche créatrice, se greffaient sur la trame
qu'elles contribuaient à lier, et n'étaient pas indispen-
sables à la bonne facture de la pièce : une manière d'ornement, susceptible éventuellement de consolider le
support sur lequel il repose. En regard de cette fonction
subalterne, Corneille, dans le « Premier Discours »,
recommandera de pratiquer avec modération les
« maximes de la morale et de la politique[3] ». Ce parti
pris de retenue explique que, dans une « tragédie de
dévotion » comme *Polyeucte*, les discours d'apologie de
la religion chrétienne et d'affirmation de la foi aient été
limités à la portion congrue — quatre en tout : le discours rapporté de Stratonice, qui résume la profession
de foi de Polyeucte au moment où il s'attaque aux idoles
(v. 841-851) ; une seconde confession prononcée au
seuil du martyre (v. 1657-1662) ; l'éloge des chrétiens
exprimé par Sévère (v. 1412-1443) ; enfin le discours
conclusif par lequel le même Sévère scelle la concor-
dance de l'adhésion au Christ et du service de l'Etat
(v. 1789-1794).

---

1. Il faut savoir que les scènes de prison sont très prisées dans les années
1630. Mais ces scènes présupposent un lieu scénique spécifique.   2. La
formule est attestée dans une lettre à l'abbé de Pure du 25 août 1660, *op.
cit.*, t. III, p. 7. L'image est double : la broderie décore, mais elle solidifie
aussi la texture.   3. Ed. Louvat-Escola, *op. cit.*, p. 67

L'argumentation théologique qui sous-tend les propos de certains personnages atteste avec évidence cette fonction de consolidation dévolue par Corneille aux « considérations morales ». Le discours religieux y paraît nettement subordonné à des exigences d'ordre dramaturgique. On est donc à cent lieues d'une démarche de type utilitaire, suivant laquelle le théâtre servirait de véhicule ou de support à une prédication plus ou moins déguisée. C'est uniquement lorsqu'il est en quête de justifications à même de clarifier ou d'appuyer la logique de ses personnages que Corneille recourt aux ressources de la doctrine chrétienne. On en a un premier exemple dans le différend qui, à l'orée de la pièce, oppose Polyeucte à Pauline. Il est en effet impératif que la cérémonie du baptême s'impose comme une urgence, faute de quoi on ne comprend pas pourquoi le héros verrait sa conscience déchirée entre le désir de complaire à son épouse et la résolution de devenir chrétien. L'une et l'autre obligation pourrait être satisfaite en son temps. Pour rendre compte du choix sans compromis auquel il soumet son héros, Corneille prête à Néarque diverses considérations sur la nécessité d'obtempérer sans tarder aux inspirations de la grâce, sous peine d'en laisser tarir la source[1]. La seconde occurrence d'un tel procédé est plus remarquable encore. On se souvient du caractère problématique que revêt aux yeux des théologiens de l'époque l'attitude cavalière du martyr briseur d'idoles[2]. Comment légitimer cette avidité à se perdre, qui étonne jusqu'au zélé Néarque ? Là encore, le discours sur la fécondité de la grâce, et en particulier sur son efficacité accrue par l'innocence conservée, vient à point pour estomper le profil atypique d'un martyr intempestivement agressif. Loin d'être une fin en soi, le discours théologique se donne avant tout comme une ressource, parmi d'autres, à partir de laquelle le dramaturge élaborera les accommodations réclamées par la règle des « bienséances », qui revient à ce que nous appellerions aujourd'hui la nécessité d'une cohérence psychologique.

---

1. Pour une analyse détaillée de ces questions, voir l'article d'A. Georges, « Le conflit de la nature et de la grâce en Polyeucte avant son baptême », p. 255-270, cf. Bibliographie.   2. Voir la notice « Martyre », p. 200.

Ce type de considérations morales entre pour beaucoup également dans la réalisation du personnage de Félix. En sa qualité de beau-père de Polyeucte, il ne peut qu'osciller entre ses sentiments familiaux, qui l'inclinent à la mansuétude à l'égard du coupable, et la conscience de ses responsabilités politiques. On pourrait imaginer un tel dilemme sous l'angle d'un déchirement insoutenable. Corneille ne saurait toutefois inscrire ce conflit intérieur dans le registre sublime, lequel s'avère inapplicable à un personnage secondaire, sous peine de noyer les axes majeurs de l'intrigue. Il est donc réduit à faire de Félix un velléitaire, incapable de se fixer à une résolution. La composition sera plus crédible encore si on la place sous le signe du machiavélisme. En effet, la pensée souple et pragmatique du Florentin, référence obligée de la culture politique de l'époque, apparaît en parfaite consonance avec les hésitations et les revirements du gouverneur d'Arménie[1].

---

1. Pour de plus amples détails, voir Introduction, p. 16-17. Il va de soi, par ailleurs, que les principes de l'héroïsme nobiliaire qui gouvernent le comportement de Polyeucte, Pauline et Sévère (principes que ces personnages exposent et commentent abondamment) ressortissent eux aussi à ce type de « considérations morales ». Corneille habille ses héros selon l'image qu'on s'en fait à l'époque. Et cet « habillage » contribue à donner une vraisemblance et une cohérence à leur comportement.

DOCUMENTS

I

Polyeucte martyr
et la tragédie religieuse de son temps

Avec *Polyeucte* et *Théodore* (1646) Corneille manifeste à deux reprises son attention pour une variété du genre tragique qui, à distance, peut paraître d'une importance mineure. Cet intérêt se comprend aisément toutefois quand on l'envisage dans le contexte de la culture contemporaine. Les premières décennies du XVIIᵉ siècle restent encore largement imprégnées par la dynamique de reconquête issue du Concile de Trente (1545-1563), et cela notamment en France où les décrets conciliaires ont été appliqués fort tard. Dans la mouvance de la Réforme catholique, l'exhortation à la foi se moule sur un dessein pédagogique très concret qui, au premier chef, prend en compte les ressources émotionnelles des fidèles. Cette tendance bien manifeste dans le domaine des arts plastiques, qui deviennent l'un des espaces privilégiés de la prédication, se vérifie également, quoique de manière moins immédiatement discernable, dans le registre littéraire[1]. Et il va sans dire que le théâtre se présente comme un des relais les plus propices à la diffusion de la doctrine chrétienne. Aussi n'est-ce pas par

---

1. Ce phénomène a été décrit de longue date par l'abbé Bremond à partir du concept d'« humanisme dévot », qui appelle du reste aujourd'hui une clarification, sinon une reformulation. Voir *Histoire littéraire du sentiment religieux*, Paris, Bloud et Gay, 1916-1936, t. I.

hasard que la période baroque coïncide avec le renou-
veau d'une dramaturgie sacrée dont le Moyen Age finis-
sant avait plus ou moins signé la décadence.

Il faudra compter néanmoins avec les réserves tradi-
tionnelles, pour ne pas dire « endémiques », des milieux
ecclésiastiques à l'endroit du monde du spectacle. Les
relations souvent tendues entre « l'Eglise et le théâtre »
obéissent en fait à des fluctuations diverses, suivant les
périodes et les contextes envisagés[1]. Tandis qu'un
Charles Borromée (1538-1584), par exemple, fulmine
contre toute velléité d'introduire le théâtre dans son dio-
cèse de Milan, la *tragedia sacra* connaîtra à Rome, sous
les pontificats d'Urbain VIII (Barberini — 1623-1644)
et de Clément IX (Rospigliosi — 1667-1669), lui-même
auteur dramatique, un retentissement sans précédent[2].
En France, le début des années 1640 correspond à une
nette embellie dans les relations généralement tendues
entre l'autorité ecclésiastique et les arts du spectacle.
C'est l'époque où l'évêque Godeau, qui reviendra du
reste par la suite à une position plus intransigeante, se
réjouit de voir que les « Muses françaises [...] bientôt
toutes chrétiennes » s'apprêtent à investir la scène et à
« instruire les spectateurs en les divertissant[3] ».

Avant d'envisager le climat qui préside à la parution
de *Polyeucte*, il convient donc d'esquisser, dans ses
grandes lignes, le vaste corpus du drame sacré, tel qu'il
s'est développé en Europe entre le XVIᵉ et le XVIIᵉ siècle.

L'ESSOR DU THÉÂTRE SACRÉ EN EUROPE

C'est apparemment dans le milieu scolaire qu'il
convient de repérer les premières manifestations d'un
théâtre sacré qui, sur le plan stylistique, s'apparente à la

---

1. Pour de plus amples informations on se référera aux ouvrages cités à la
note 1, p. 11.   2. Voir, outre les travaux de Fumaroli déjà cités, Volker
Kapp, « Das Barberini-Theater und die Bedeutung der römischen Kultur
unter Urban VIII. Versuch einer literarhistorischen Einordnung des Schaf-
fens von Giulio Rospigliosi », *Literaturwissenschaftliches Jahrbuch*, 1985,
p. 75-100. Pour une approche plus globale du mécénat des Barberini, on
consultera l'ouvrage très documenté de Frederick Hammond, *Music and
Spectacle in Baroque Rome*, Yale University Press, 1994.   3. Préface à la
première édition des *Poésies chrétiennes*, 1644.

tragédie humaniste dérivée de Sénèque. Ses auteurs néo-latins, tels l'Ecossais Buchanan (1506-1582), le Néerlandais Macropedius (1475-1558) ou l'Allemand Naogeorgus (1511-1563), traitent par priorité des thèmes bibliques. Cet héritage sera repris par les jésuites, qui le feront fructifier suivant des modalités diverses, tantôt en insistant sur la dimension spectaculaire d'une représentation accueillante à toutes sortes de manifestations artistiques (décors somptueux, musique, chorégraphie), tantôt en subordonnant la facture de l'œuvre aux règles dérivées d'Aristote, et en privilégiant une certaine intériorisation du drame[1]. Etroitement intégrée à un projet pédagogique très concerté, la pratique du théâtre dans les collèges n'est pas pensée d'abord pour l'édification des spectateurs, mais pour celle des acteurs eux-mêmes qui, en même temps qu'ils sont invités à se mesurer à la magnanimité des figures qu'ils incarnent, trouvent sur la scène une occasion d'exercer des talents garants d'une carrière future. La Bible n'a pas l'exclusive des thèmes, qui sont de plus en plus souvent empruntés à l'Antiquité tardive, voire à des périodes plus récentes. La vie des saints est naturellement privilégiée, dans la mesure notamment où elle permet d'aborder une réflexion historico-politique aux connotations morales. On voit ainsi surgir quelques figures favorites — Alexis, Catherine, Herménigilde — caractérisées par la radicalité de leur engagement chrétien, et leur énergie à combattre jusqu'au bout pour la vraie foi. A travers ces « soldats du Christ », le théâtre jésuite est l'expression parfaite d'une idéologie religieuse associant le salut à une forme de conquête.

L'influence considérable qu'exerce la Société de Jésus sur la culture baroque laisse deviner tout ce que doivent à ses dramaturges les praticiens de la scène profane. Cet ascendant est sensible notamment dans la reprise, par des comédiens professionnels, des thèmes du répertoire jésuite. Ce faisant, ces derniers ne visent pas nécessairement, on s'en doute, à rivaliser de piété avec leurs

---

1. Sur le théâtre jésuite, et en particulier sur ses développements en Allemagne, on ne peut que renvoyer à la somme de Jean-Marie Valentin, *Les Jésuites et le théâtre (1554-1680)*, *op. cit.*

modèles : ils ont simplement reconnu chez eux une efficacité dramatique qu'ils essayeront d'exploiter à leur
tour [1]. Universellement reconnues, ces communications
entre le théâtre scolaire et la dramaturgie moderne
attendent encore des enquêtes circonstanciées. En l'état
actuel des connaissances, il est difficile de préciser, par
exemple, ce que doivent aux jésuites les *autos sacramen-*
tales qui, au long du siècle d'or espagnol, prolongent la
tradition des mystères médiévaux, voire les *comedias de*
santos, d'envergure plus restreinte, qui se développent à
la même époque [2]. Ces rapports ont été mieux étudiés
en Italie, où l'introduction de la langue vernaculaire,
inaugurée en 1644 par l'*Ermenegildo* du jésuite Pallavi-
cino, va non seulement modifier la production scolaire [3],
mais favoriser ses contacts avec la tragédie italienne
moderne. On a évoqué plus haut la riche floraison du
théâtre religieux dans la Rome des Barberini, et ses
retentissements divers. La cour de France, et en l'occurrence l'entourage d'Anne d'Autriche, semble avoir
considéré avec une attention toute particulière ce nouveau visage de la dévotion, rehaussé par les séductions
du spectacle.

LA TRAGÉDIE HAGIOGRAPHIQUE EN FRANCE : UNE ÉCLOSION SANS LENDEMAIN

Entre 1639, date présumée de la représentation du
Saint Eustache de Balthasar Baro, et 1650, qui verra la
publication simultanée des *Jumeaux martyrs* de Mme de
Saint-Balmon, et des *Chastes Martyrs* de Mlle Cosnard,
la scène parisienne voit défiler une quinzaine de tragédies hagiographiques, « pièces à martyre » pour la plu-

---

1. Sur ce phénomène, on consultera A. Stegman, *op. cit.*, p. 75, qui en
examine la portée en France, aux alentours de 1640.   2. Voir E. Dassbach, *La Comedia hagiográfica del Siglo de Oro español. Lope de Vega, Tirso*
de Molina y Calderón de la Barca, Bern, Peter Lang, 1997 et L. E. Roux,
Du Logos à la scène. Ethique et esthétique : la dramaturgie dans la comédie de
saints dans l'Espagne du Siècle d'Or (1580-1635), Presses Universitaires de
Lille, 1975.   3. Comme le fait remarquer Bruna Filippi, la certitude
d'être immédiatement compris de tous incite l'auteur à traiter son sujet de
manière plus subtile (« Il teatro dei gesuiti a Roma nel XVII secolo », *Teatro*
e Storia, 16, IX, 1994, p. 117-118).

part, qui du reste présentent entre elles peu de caractères communs, sinon le type de héros qu'elles mettent en scène[1]. Cette production, destinée au public mondain, doit être soigneusement distinguée des nombreuses représentations hagiographiques qui, en province, poursuivent la tradition du mystère médiéval. Ces dernières, souvent l'œuvre d'amateurs, clercs ou magistrats mandatés par une confrérie, se signalent par une facture archaïque qui les rend tout à fait impropres aux attentes d'une audience parisienne[2].

Comment expliquer le brusque engouement des dramaturges français pour un registre dont les théoriciens démontreront sans peine qu'il ne s'accordait guère avec les normes esthétiques, désormais inéluctables, de la tragédie régulière[3]? Invoquer un phénomène de mode n'est guère éclairant, tant il est vrai que la mode, si aléatoire qu'elle apparaisse, n'a rien de gratuit. Un regard sur l'articulation chronologique de ce corpus laisse apparaître quelques indices. Les premières années de cette « décennie hagiographique » sont illustrées par des auteurs non spécialisés dans la production théâtrale, tels Grenaille (*L'Innocent malheureux*, — Crispe, 1638), Puget de La Serre (*Thomas Morus*, 1640 ; le *Martyre de Sainte Catherine*, 1642), La Calprenède (*Herménigilde*, 1642), voire Tristan L'Hermite (*La Mort de Chrispe*, 1644). Ces œuvres, qui reprennent presque systémati-

---

1. Ce phénomène a été étudié à plusieurs reprises, sans que l'on parvienne à en élucider exactement l'origine et les causes. Voir M. Pascoe, *Les Drames religieux au milieu du XVIIe siècle, 1636-1650*, Paris, 1932 ; K. Loukovitch, *L'Évolution de la tragédie religieuse classique en France*, Paris, Droz, 1933 (Bibliothèque de la Société des historiens du théâtre, vol. II) et J. S. Street, *French Sacred Drama from Bèze to Corneille : Dramatic Forms and their Purposes in the Early Modern Theatre*, Cambridge University Press, 1983.
2. Parmi les exemples les plus souvent mentionnés, on citera la *Tragédie de sainte Agnès* de P. Trotterel (Rouen, 1615), la *Tragédie sur la vie et le martyre de saint Eustache* de P. Bello (Liège, 1632), la *Sainte Aldegonde* de J. d'Ennetières (Tournay, 1645). Ce vaste corpus, où les héros de l'histoire nationale (Geneviève, Herménigilde) se retrouvent aux côtés des saints locaux (Reine d'Alise), s'étend au moins jusqu'aux premières décennies du XVIIIe siècle. 3. Parmi les premières mises en garde, on relèvera celles de La Mesnardière, dans sa *Poétique* de 1640. Guez de Balzac, de son côté, a exprimé son scepticisme à l'endroit d'un théâtre d'inspiration chrétienne dans la polémique qui l'oppose à Heinsius (1636).

quement des figures célébrées par les jésuites, pourraient être envisagées comme autant d'expériences destinées à vérifier la possibilité d'instaurer un théâtre sacré conforme aux canons déduits d'Aristote. La nouvelle légitimité dont le théâtre se prévaut à cette époque, sous l'étiquette de « comédie purifiée », ne serait pas étrangère à un tel propos. Il ne faut pas oublier non plus l'influence d'Anne d'Autriche, à la fois dévote et férue de théâtre, dont on sait qu'elle fut la commanditaire de l'*Eustache* de Baro.

Corneille avait donc de bonnes raisons de se lancer dans une telle carrière. Avec *Polyeucte martyr*, la tragédie hagiographique se dégage de la phase expérimentale que nous avons évoquée pour acquérir une certaine crédibilité aux yeux des professionnels. C'est dans le sillage de cette première tragédie à martyre, dont la réception effective reste à ce jour assez énigmatique, qu'il convient en effet d'envisager la seconde période de cette production hagiographique. Avec *Le Véritable Saint Genest* de Rotrou (1645) et les trois tragédies sacrées de Desfontaines (*Saint Eustache*, 1644 ; *L'Illustre Olympie ou Saint Alexis*, 1644 ; *L'Illustre Comédien* — saint Genest —, 1645[1]), des praticiens éprouvés abordent à leur tour un répertoire analogue. L'échec de *Théodore* (1646), que Corneille imputera en partie à la nature paradoxale du théâtre à martyre[2], contribue apparemment à ébranler la confiance. Un simple regard sur les œuvres ultérieures ne laisse guère de doutes à ce sujet. A l'exception peut-

---

1. Le parcours de Desfontaines, qui participa aux destinées de l'Illustre-Théâtre fondé par Molière avec les Béjart, est encore mal connu. Selon toute évidence, il se déroule essentiellement dans les milieux du théâtre. Ses trois tragédies hagiographiques sont actuellement en cours d'édition (C. Bourqui, S. de Reyff, S.T.F.M., à paraître).   2. « Aussi, pour en parler sainement, une vierge et martyre sur un théâtre, n'est autre chose qu'un terme qui n'a ni jambe ni bras, et par conséquent point d'action », notera le dramaturge dans l'Examen de *Théodore* (éd. Couton, t. II, p. 272). Le recours à la métaphore du « terme » — Furetière : « C'étaient autrefois des bornes plantées au bout des héritages pour les séparer, auxquelles on donnait la figure du Dieu Terme [...] qu'ils peignaient sans bras et sans pieds, afin qu'elle ne pût changer de place » — suggère les restrictions dramaturgiques liées au personnage du martyr. En traduction libre : une figure de martyr est aussi propre à la scène que l'est une potiche !

être du *Josaphat* de Magnon (1646) et d'une *Sainte Catherine* anonyme (1649), abusivement attribuée à l'abbé d'Aubignac, la tragédie hagiographique redevient, dès la fin des années 1640, un genre essentiellement provincial[1].

LES LIMITES D'UNE TELLE EXPÉRIENCE

Tant dans l'Examen que dans la dédicace de *Théodore*, Corneille associe avec une certaine insistance sa pièce à ce qu'il est convenu d'appeler la « comédie purifiée » : « J'oserais bien dire que ce n'est pas contre des comédies pareilles aux nôtres que déclame saint Augustin, et que ceux que le scrupule, ou le caprice, ou le zèle en rend opiniâtres ennemis, n'ont pas grande raison de s'appuyer de son autorité[2]. » Selon toute évidence, c'est bien sur le fond de l'animosité des milieux cléricaux à l'endroit du théâtre qu'il convient d'apprécier ces tentatives répétées pour imposer sur la scène parisienne des héros non seulement irréprochables, mais susceptibles de susciter l'admiration, voire l'adhésion d'un public venu au théâtre pour se divertir. A la faveur du répertoire sacré, le dramaturge prétend rejoindre le propos du prédicateur, sinon pour se substituer à lui, du moins pour lui servir de relais face à un auditoire mondain que l'éloquence de la chaire n'atteint qu'occasionnellement.

Semblable argumentation, qui est du reste rarement formulée de manière explicite, ne réussira pas à s'imposer. Si elle peut momentanément faire illusion, elle ne résistera ni à l'emprise d'ecclésiastiques peu soucieux de laisser des comédiens empiéter sur leurs prérogatives, ni surtout à la lucidité de leurs meilleurs porte-parole. En faisant de Corneille, qu'il juge significativement « le plus honnête de tous les Poètes de théâtre », la cible privilégiée de ses attaques, Pierre Nicole oppose une fin de

---

1. Nous n'avons pas mentionné, dans ce rapide panorama, le théâtre d'inspiration biblique. Très présente dans la mouvance humaniste, la Bible n'inspirera guère les dramaturges modernes, à la réserve de Du Ryer, qui fera cavalier seul. Quant à *Esther* et à *Athalie* de Racine, données à la fin du siècle, leur thématique s'explique avant tout par les circonstances de leur composition. **2.** Ed. Couton, *op. cit.*, t. II, p. 270.

non-recevoir à toute tentative de conciliation[1]. Son *Traité de la comédie*, paru en 1667, mais sans doute rédigé bien plus tôt, s'inscrit dans la ligne même de l'intuition qui servait de clausule à un célèbre sonnet de Godeau :

> ... pour changer leurs mœurs, et régler leur raison,
> Les chrétiens ont l'Eglise, et non pas le théâtre[2].

---

1. Voir Laurent Thirouin, *L'Aveuglement salutaire...*, *op. cit.*, en particulier p. 85 *sq.*, « Les vertus chrétiennes au théâtre ».   2. « Sur la comédie », *Poésies chrétiennes*, 1654. Cité notamment dans Laurent Thirouin (éd.), Pierre Nicole, *Traité de la comédie et autres pièces d'un procès du théâtre*, *op. cit.*, p. 124. Sur l'attitude de Godeau face au théâtre, voir, du même auteur, « Les dévots contre le théâtre, ou de quelques simplifications fâcheuses », *Littératures classiques* 39, 2000, p. 107-121.

II

Un Polyeucte *italien antérieur à celui de Corneille :* le Polietto *de Girolamo Bartolommei*

A l'origine, Polyeucte est un saint presque « confidentiel », dont la tradition hagiographique est des plus discrètes, et pour lequel aucun lieu de culte ne semble attesté en Europe. Pourtant Corneille n'est pas le premier à avoir donné une version dramatique de son martyre. Quelques années auparavant, la Rome pontificale avait vu la création d'un *Polietto* [1], œuvre d'un auteur mineur, Girolamo Bartolommei [2], proche du milieu des Barberini, puissante famille romaine dont le mécénat théâtral donnait lieu à des productions observées de toute l'Europe. Il est très vraisemblable que Corneille a connu cette version — et, partant, qu'il a découvert par son intermédiaire un saint martyr particulièrement adaptable à ses propres visées dramatiques — : Bartolommei, client de Mazarin, gravitait en effet autour de la cour de France, elle-même très attentive aux fêtes et aux spectacles créés dans la capitale de la chrétienté. De nombreuses rencontres textuelles précises laissent entendre que Corneille a observé de près le texte de son prédécesseur [3]. Il n'ira pas toutefois jusqu'à en tirer l'organisation de son intrigue ou en adapter certains passages. C'est pourquoi le *Polietto* ne saurait être envisagé

---

1. La date de création de la pièce n'est pas connue. La première édition fut publiée à Rome en 1632. Nos citations sont empruntées à la seconde édition, parue à Florence en 1655.   **2.** Sur G. Bartolommei, auteur extrêmement peu étudié en Italie comme en France, on trouvera une succincte mise au point dans *Héros et orateurs. Rhétorique et dramaturgie cornéliennes, op. cit.*, de M. Fumaroli, p. 228. Rappelons simplement ici que Bartolommei est également l'auteur d'une *Teodora*, antérieure elle aussi à la *Théodore* de Corneille. M. Fumaroli propose une étude comparative des deux pièces (« *Théodore, vierge et martyre* : ses sources italiennes, et les raisons de son échec à Paris », *op. cit.*, p. 223-259).   **3.** Nombre de ces rencontres ont été signalées dans les articles de H. Hauvette et W. Drost (voir Bibliographie). Toutefois une étude comparative approfondie des deux pièces reste à entreprendre.

comme une source [1] de *Polyeucte* au sens étroit du terme.
Comme nous allons le voir, la manière du Florentin est
trop différente de la sienne pour que Corneille lui
emprunte autre chose que des notations de détail. Non
seulement la nécessaire émulation liée à une situation de
rivalité à distance l'astreignait à se démarquer de son
modèle, mais encore sa propre conception du théâtre le
condamnait, en quelque sorte, à inventer lui-même sa voie.
C'est précisément ce qui fait l'intérêt du texte de Bartolommei, sur lequel nous nous proposons de donner
quelques informations rapides : en témoignant d'une autre
façon de traiter le même sujet, le *Polietto* italien permet par
là même de saisir la spécificité de la manière cornélienne.

DRAMATURGIE ET VISION DU MONDE [2]

Comme l'ensemble des tragédies de Bartolommei,
Polietto est conçu dans le cadre précis des règles aristotéliciennes. Corneille et son prédécesseur se réfèrent donc au
même fondement théorique. Pourtant les deux pièces
qu'ils proposent diffèrent considérablement quant à leur
esthétique même [3]. Ce constat suggère à quel point, dans
la dramaturgie européenne moderne, le respect d'Aristote
ne suffit pas encore à déterminer la facture d'une œuvre.

Alors que Corneille procédera selon une progression
tripartite strictement aristotélicienne (début, milieu et
fin [4]), présentant la décision de briser les idoles comme un
coup de théâtre, Bartolommei, lui, fonde sa tragédie sur
un schéma essentiellement linéaire. Tout le spectacle est
centré sur le personnage de Polietto, dont la conversion

1. Sur la notion de source, voir C. Bourqui, *Les Sources de Molière*, Paris,
SEDES, 1999, p. 15-17.   2. On trouvera un résumé détaillé du *Polietto*
de Bartolommei aux pages 232-233 de l'ouvrage de Loukovitch, mentionné
dans notre bibliographie.   3. Cet écart s'explique notamment par
l'étroite parenté qui lie la tragédie sacrée italienne au théâtre jésuite, dont
le Collège romain est à cette époque un des centres de diffusion les plus
prestigieux. Voir notamment Bruna Filippi, « ... 'Accompagnare il diletto
d'un ragionevole trattenimento con l'utile di qualche giovevole maestra-
mento...' Il teatro dei gesuiti a Roma nel XVII secolo », *Teatro e Storia*,
Annali 16, IX, 1994, p. 94-128.   4. Pour plus de détails, voir, dans le
présent dossier, la rubrique « Commentaires », II, p. 172.

suit une évolution progressive sans connaître la rupture
que vivra le héros cornélien. Le début de la pièce le présente comme un jeune chef militaire plein d'avenir,
auquel une récente promotion ouvre la voie du succès.
Nommé à la tête de l'armée qui doit vaincre les Perses
rebelles à l'Empire, il ne songe qu'à s'illustrer dans de
nouveaux exploits. Ce n'est que progressivement, et par
le biais d'un songe — il s'est vu, dans son rêve, revêtir
d'une tunique éclatante par un « héros » qui a ensuite dis-
paru dans le ciel sur un cheval ailé —, que la foi chrétienne
fait son chemin en lui. Cette vision divine imprègne peu à
peu le cœur de Polietto, au point que, lorsque son ami le
chrétien Nearco juge opportun de lui en révéler la teneur,
il est naturellement disposé à accueillir la foi chrétienne,
et à en témoigner au prix de sa vie.

Ce parti pris linéaire ne fait en réalité que transcrire
une vision du monde résolument optimiste, selon
laquelle la conversion se présente moins comme une
rupture avec la vie antérieure que comme un aboutissement naturel des valeurs qui l'ont inspirée : la magnanimité qui inspire au jeune Polietto son désir de gloire est
à la source même de l'abandon généreux qui le conduira
au martyre. Il y a donc continuité entre les vertus naturelles et la perfection qu'elles acquièrent par l'opération
de la grâce ; la récupération de l'héroïsme dans l'ordre
surnaturel n'en apparaît que plus logique. Aussi bien
toutes les étapes déterminantes du parcours de Polietto
correspondent-elles à la mise en évidence de sa valeur
héroïque, fondement de sa sainteté. Cette insistance
culmine dans le récit de son martyre : tandis que le mes-
sager déplore bruyamment le revers de fortune qui a
réduit à l'impuissance l'ancien héros guerrier, Nearco y
déchiffre la manifestation d'un triomphe sans commune
mesure avec les réussites de ce monde.

L'idée d'une continuité, d'un progrès, entre service de
l'empereur et service de la foi, gloire militaire et gloire
de Dieu, s'impose donc comme une évidence dans la
dramaturgie linéaire de Bartolommei[1]. Il n'en va pas de

---

1. Au reste, elle s'inscrit explicitement dans la mentalité jésuite. *Polietto*
contient plus d'une allusion au *Vessillo* (étendard) divin auquel veut se ral-
lier désormais le héros : on reconnaît dans cette expression la fameuse

même chez Corneille, où le recours au coup de théâtre
mettra crûment en relief la violence du bris des idoles.

Il est vrai que la version de Corneille s'adresse à un
public mondain qu'il s'agit de séduire, un public qui ne
se laisse pas spontanément conquérir par les valeurs religieuses. Le *Polietto* de Bartolommei, en revanche, est
une œuvre de propagande chrétienne, destinée à un
auditoire conquis d'avance, dont il s'agit simplement de
conforter l'adhésion. Plutôt que de faire reposer l'intérêt
de sa tragédie sur l'agencement des faits et l'effet que
celui-ci peut produire, Bartolommei recourt à tous les
moyens d'une rhétorique ordonnée à l'émotion bien
plus qu'à la démonstration. Cette manière emphatique,
riche en suggestions pathétiques, s'avère propre entre
toutes à séduire l'imagination, et à l'entraîner bien au-
delà de ce que peut capter la vue. Il s'agit avant tout,
pour l'auteur, de donner à voir [1], et cet objectif est essentiellement réalisé à travers la formulation verbale — l'*elo-
cutio* en termes rhétoriques —, qui privilégie très
nettement les figures de style de caractère descriptif. Un
simple exemple suffira à suggérer cette tendance : le
fameux épisode du bris des idoles, impropre à la représentation scénique, est rapporté par un témoin du
scandale :

> Ecco 'l superbo,
> E feroce Artaban, Censor novello,
> Che guida seco in procession gli Dei ;
> Inchinò tosto l'universa Gente
> A' sommi Numi reverente 'l piede,
> E Giove, e Marte n'adorò prostrata :
> Solo rimase, come sculto marmo
> Immoto Polietto, e nel sembiante
> Fieramente accigliaro ; indi si mosse
> Contro freddi metalli ad empia guerra,

---

théorie des deux Etendards, celui du monde et celui du Christ, qui constitue un passage célèbre des *Exercices spirituels* (II, 4) d'Ignace de Loyola, le
fondateur de la congrégation des Jésuites.
1. Contrairement à un usage fréquent dans les spectacles jésuites, la pièce
de Bartolommei ne semble pas requérir des moyens scéniques très remarquables.

Dispettoso gli assalse, e a un tempo stesso
Gli riversò per terra, e quasi vinti
Abbattuti 'Nemici, ancor non sazio
Calcò protervo con ontoso piede[1].

Cette présence très accentuée de l'ornementation est également perceptible, dans le texte de *Polietto*, à travers l'abondance de « discours moraux » (lesquels susciteront toujours chez Corneille une réserve manifeste[2]), dont la fonction est moins d'éclairer ou de faire avancer l'intrigue que de l'agrémenter. Au fil des dialogues et des monologues se multiplient les énoncés d'inspiration politique ou morale, sans relation directe avec le progrès de l'action. Artabano, rival de Polietto, se voit par exemple longuement tancé par un émissaire du préfet Felice, qui lui remontre que sa jalousie est la négation des vertus héroïques auxquelles il prétend. A son tour, au moment de conférer au même Artabano la dignité de censeur, le préfet se lance dans de très amples considérations sur la responsabilité des autorités dans l'harmonie de l'Etat.

DE BARTOLOMMEI À CORNEILLE : RENCONTRES ET DIVERGENCES

Il vaut la peine de s'arrêter sur certains moments stratégiques de la pièce de Corneille dont on retrouve un équivalent chez Bartolommei. Quelques pointages ciblés permettent de saisir, au-delà des traits stylistiques ou des idées ponctuelles qui ont pu inspirer Corneille, comment certains passages obligés de la légende étaient

---

1. Et voici que fait son entrée le fier / Et sévère Artaban, nouveau Caton (Censeur), / Qui conduit en procession les dieux ; Aussitôt comme un seul homme le peuple assemblé / Se mit à genoux (« inclina son pied ») avec révérence devant ce qu'il y a de plus haut entre les divinités / Et, dans une attitude prostrée, il adora Jupiter et Mars ; / Seul, comme un marbre sculpté, / Polyeucte resta immobile, avec l'air / Rebelle que lui donnait son sourcil froncé ; puis, il prit son essor / Et se livra à une guerre impie contre les froids métaux, / Le mépris le poussait, il les assaillit, en un clin d'œil / Il les renversa par terre, et, comme des ennemis vaincus / Foulés aux pieds, qu'il n'était pas rassasié d'humilier / Avec insolence il les écrasa d'abondants piétinements./ **2.** Voir le premier discours « De l'utilité et des parties du poème dramatique » (*op. cit.*, p. 66).

susceptibles de traitements différents. La portée et la
signification des choix cornéliens trouvent dans une telle
comparaison un éclairage inédit.

Le songe. En attribuant à Polyeucte, la veille de sa
conversion, un songe prémonitoire de gloire céleste, le
récit hagiographique de Surius fournissait du pain bénit
aux dramaturges de l'époque, friands de rêves annoncia-
teurs des péripéties futures [1]. Bartolommei ne manque
pas l'occasion qui lui est offerte. Cela étant, il infléchit
cette thématique dans un sens qui mérite d'être
remarqué. En effet, tandis que Surius ménage entre
vision et conversion une relation immédiate de cause à
effet, Bartolommei exploite à plaisir la nature essentiellement ambiguë du rêve. Celui-ci présente toutes les données susceptibles d'être interprétées dans le sens de la
gloire mondaine, ce que ne manque pas de faire Polietto
en un premier temps. Et lorsque Nearco lui laisse entre-
voir les réalités surnaturelles qui pourraient à leur tour
rendre compte des merveilles contemplées, il ne souscrit
pas sans hésitation à cette seconde glose. Pour que
Polietto acquière la certitude qui fera de lui un nouveau
disciple du Christ, il faudra préalablement que l'édit
prononcé contre les chrétiens éveille en lui une indignation susceptible de lui faire embrasser la cause des persécutés. On reconnaît l'usage du songe qui sera fait dans
le *Polyeucte* français : Corneille exploitera à son tour les
virtualités du message onirique dont le contenu se
dérobe en même temps qu'il se donne. Chacun à sa
manière, l'un et l'autre auteur intègre le motif du songe
dans une structure fondée sur le dévoilement progressif
du sens.

Le sacrifice aux dieux païens. Dans *Polyeucte*, l'échange
à caractère théologique qui oppose Néarque et
Polyeucte, avant le bris des idoles (v. 645-720), révèle
combien Corneille est conscient des implications

---

1. Voir Jacques Morel, art. cit. en Bibliographie. Bartolommei, non
content d'exploiter la donnée de la légende, introduira même un second
songe : la vision du prêtre Policarpo, que domine un Dieu courroucé s'ap-
prêtant à foudroyer les chrétiens en raison de leur tiédeur.

fâcheuses liées au comportement de son héros : les objections de Néarque sont destinées à relativiser, à défaut de les écarter, les critiques qui n'allaient pas manquer de surgir. Rien de tel chez Bartolommei : l'héroïsme plus limpide dans lequel baigne son *Polietto* a pour conséquence une intégration très naturelle de l'attitude provocatrice du futur martyr. Dès sa conversion, Polietto souhaite s'illustrer par un acte héroïque, ce qui découle par définition de la magnanimité de son tempérament. Sans doute Nearco le met-il en garde contre tout geste irréfléchi, mais ses conseils de prudence atténuent à peine l'admiration qu'éveille en lui le zèle du néophyte. Tout au plus lui recommande-t-il d'attendre, pour agir, d'avoir reçu le baptême. Il est vrai que la cérémonie païenne, chez le prédécesseur de Corneille, ne se présente pas sous la forme d'un sacrifice d'action de grâce aux dieux, mais consiste en la remise des insignes à Polietto, promu au grade de général. Le nouveau dignitaire, centre d'attraction de tout le spectacle, doit par définition se déclarer face au rituel auquel chacun s'attend à le voir souscrire. Or la situation que présente Corneille dans la scène correspondante ne revêt pas le même caractère de nécessité : en effet, personne n'exige rien de Polyeucte, qui est simplement invité à assister passivement à une cérémonie. On le voit, les circonstances du bris des idoles estompent, dans la pièce de Bartolommei, le caractère de gratuité — à la limite du fanatisme — qui caractérise le défi du héros cornélien. Non seulement le geste de Polietto n'appelle pas la moindre réserve, mais il fait l'objet d'une admiration sans retenue et s'intègre harmonieusement dans le climat exalté qui, dans toute la pièce, préside à la célébration continue du futur martyr, nouveau chevalier de la milice chrétienne.

Le plaidoyer de Pauline. Le personnage de Pauline est déduit par les deux dramaturges du récit de Surius qui fait intervenir, en sa fin, l'épouse du martyr comme une tentation diabolique destinée à briser sa « constance ». Bartolommei maintient sa Paulina dans ce registre épisodique. Elle n'intervient qu'au terme de l'action, accompagnée de ses deux fils dont le plaidoyer assez conventionnel fait écho à ses supplications inutiles. L'écart entre les deux pièces est ici pleinement perceptible[1]. On se souvient que c'est pour répondre aux attentes du public mondain que Corneille tisse autour de Pauline un épisode galant[2]. Mais ce traitement va bien au-delà de l'adaptation de circonstance, puisqu'il est pour le dramaturge l'occasion de projeter sur son héroïne, écartelée entre deux allégeances affectives, une très haute exigence morale. Tandis que la Paulina de Bartolommei se consomme en lamentations, la Pauline cornélienne revendique de son époux une réponse à sa propre fidélité, laquelle mettra en lumière certaines contradictions entre l'image conventionnelle de la perfection chrétienne et les responsabilités que cette même perfection devrait assumer.

La sépulture du martyr. La vénération accordée aux restes de la victime, qui conclut les deux pièces, permet à son tour de mesurer l'écart qui sépare la dramaturgie complexe de Corneille du traitement linéaire de Bartolommei. Non seulement cet épisode est emprunté par les deux auteurs à Surius, mais il correspond à une des composantes obligées de la tragédie à martyre. Alors que Bartolommei évoque le rituel de sépulture dans la perspective d'un simple point d'orgue apaisant et libérateur, cet accent final, chez Corneille, tire une signification à la fois plus grave et plus pénétrante du drame qui l'a précédé : le culte rendu à Néarque et à Polyeucte signifie la victoire finale des martyrs, dans la mesure où il annonce la christianisation prochaine de l'Arménie. L'issue de *Polietto* est beaucoup plus vague. Tandis que le prêtre Policarpo célèbre avec le chœur des chrétiens le sacrifice du martyr, dont il glorifie l'exemple, les zélateurs du paganisme restent sur leur position. L'œuvre ne se résout sur aucune sanction objective : rien, hors du point de vue chrétien, ne garantit le triomphe du héros.

---

1. Il l'est d'autant plus que de nombreux rapprochements formels tendent à prouver que Corneille s'est directement inspiré de cette scène. W. Drost a avancé de nombreux arguments dans ce sens (art. cit., p. 63-68).
2. Voir p. 168-169.

COSTUME DE M.^D VESTRIS

dans Polyeucte, Rôle de Pauline.

III

*En guise de glossaire... : Quelques notions clés
pour entrer dans l'univers de* Polyeucte

MARTYRE

Définitions théologique et canonique. Qui dit martyre
songe immédiatement aux tourments et à la mort qu'un
homme accepte d'affronter pour la défense d'une cause
qu'il juge absolue. Sans nécessairement sous-estimer la
dimension dramatique associée à une telle situation, la
théologie catholique définit sobrement le martyre comme
un acte de vertu qui consiste à rester ferme face aux
assauts de la persécution. Evoquée à plusieurs reprises
dans les Evangiles, l'opposition inévitable du chrétien et
des puissances de ce monde sert de couronnement à la
série des Béatitudes : « Heureux les persécutés pour la justice... » (Evangile selon saint Matthieu, 5, 10). Cependant, la vertu du martyr n'a de valeur que dans la mesure
où elle est ordonnée au témoignage de sa foi, témoignage
qui du reste équivaut à une manifestation de son amour
pour Dieu : « Quand je livrerais mon corps aux flammes,
si je n'ai pas la charité, cela ne me sert de rien », rappelle
saint Paul dans un passage bien connu de la Première
épître aux Corinthiens (13, 3).

Mais en quoi le martyre constitue-t-il le témoignage
par excellence de la foi chrétienne ? Aller jusqu'à la mort
pour demeurer fidèle au Christ, c'est affirmer sans la
moindre réserve la priorité absolue des promesses du
Royaume des cieux, au prix desquelles les avantages
légitimes de la vie terrestre s'avèrent négligeables. C'est
pourquoi l'Eglise associe deux critères essentiels à la
reconnaissance du martyre : la sanction définitive de la
mort, qui exprime la nature inconditionnelle du témoignage, ainsi que la visée du persécuteur, qui agit par
haine des valeurs évangéliques.

Dans un traité publié en 1737, *De la béatification des serviteurs de Dieu et de la canonisation des bienheureux*, le pape Benoît XIV sera amené à préciser sous divers aspects la définition canonique du martyre. Il évoque notamment la question longtemps disputée du martyr téméraire, que son attitude ouvertement provocatrice conduit au supplice. On comprend dès lors pourquoi un héros comme Polyeucte représente un cas de figure très problématique. D'une manière générale, ce manque de mesure a toujours été condamné par la tradition chrétienne. Origène (IIIe siècle) s'appliquait déjà à mettre une sourdine à l'exaltation manifestée par certains de ses coreligionnaires. Saint Thomas d'Aquin justifiera de telles réserves en faisant remarquer que le provocateur induit lui-même son adversaire au péché d'injustice (*Somme théologique*, IIa IIae, q. CXXIV, a. 1, *ad tertium*). Ces arguments n'empêchent toutefois pas Benoît XIV de distinguer, aux côtés des imprudents qui « tirent les oreilles du chien qui dort », d'authentiques martyrs qui, sous la conduite de l'Esprit saint, ont suivi un comportement propre à déclencher leur condamnation. Ainsi Polyeucte pourrait-il échapper à toute accusation de témérité gratuite. La démarcation entre ces ceux attitudes n'est pas toujours aisée. Néanmoins, le véritable saint est reconnaissable à son humilité et à sa douceur, qui souvent confondent ses plus farouches ennemis, à l'allégresse surnaturelle qui l'accompagne dans ses tourments, ainsi qu'aux miracles que produit sa mort (au premier rang desquels la conversion de ses bourreaux).

La persécution des premiers chrétiens. Les débuts du christianisme sont profondément marqués par les persécutions. Elles sont d'abord le fait des juifs, ainsi que l'attestent les premiers chapitres des Actes des Apôtres, et en particulier le récit de la mise à mort d'Etienne, considéré comme le premier martyr (Ac. 6, 5-15 ; 7, 1-60). Ce qui n'empêchera d'ailleurs pas les juifs de subir aux côtés des chrétiens l'animosité des zélateurs de la religion romaine.

Sous l'Empire romain, les vagues de persécutions se succéderont entre 64 et 313 (date de l'édit de tolérance, promulgué par Constantin), avec d'importantes périodes d'accalmie. Inaugurées par Néron, chez qui la haine pour les chrétiens ne correspond guère qu'à des hantises personnelles, elles acquièrent par la suite des bases juridiques dont fait état notamment la correspondance de Pline le Jeune avec Trajan. Le principal chef d'accusation lancé contre les chrétiens est leur refus de participer au culte de la religion nationale, et leur choix de mépriser de ce fait des divinités tutélaires auxquelles Rome devait sa prospérité (voir note 1, p. 101). Les chrétiens sont par conséquent assimilés à des ennemis de l'Etat, ce qui explique que les empereurs les plus attachés à la grandeur romaine aient été les plus intraitables à leur endroit : Trajan, Dioclétien, Hadrien.

Les persécutions entreprises par Decius (249-250), sous le règne duquel meurt le martyr Polyeucte, et par Valérien (257-258) visent davantage l'apostasie que l'élimination des chrétiens. Les procès tendent par conséquent à traîner en longueur, ce qui fera dire à saint Cyprien : « Ceux qui veulent mourir ne viennent pas à bout de se faire tuer. » Ce climat propose un éclairage complémentaire sur les efforts de Félix pour convaincre son gendre d'apostasier.

Le culte des martyrs. Les lois romaines interdisent d'ensevelir les condamnés à mort. Toutefois, on livre volontiers leur dépouille aux proches qui la demandent, ce qui incitera les chrétiens à réclamer les leurs. La sépulture des martyrs fait l'objet de nombreux récits, dont le plus ancien est le *Martyre de saint Polycarpe*, repris par Eusèbe dans son *Histoire ecclésiastique* : « Ainsi nous avons enlevé plus tard ses ossements, plus précieux que des pierres coûteuses et plus estimables que l'or, et nous les avons placés là où c'était convenable. C'est là, autant que possible, que nous nous assemblerons dans l'allégresse et la joie, quand le Seigneur nous accordera de célébrer le jour anniversaire de son martyre. » Cet anniversaire de la *depositio* du martyr est effectivement commémoré avec beaucoup de solennité par la communauté chrétienne, qui se rend auprès du tombeau pour y célébrer l'eucharistie. De telles liturgies se distinguent très nettement d'un culte funéraire : « on ne prie pas pour les martyrs, on les invoque », dira saint Augustin.

La liste de ces cérémonies est vraisemblablement à l'origine des martyrologes [1], dans lesquels est relatée la « passion » des martyrs. Cautionnée par la bienveillance de Sévère, la sépulture de Néarque et de Polyeucte engage donc très explicitement l'avenir de la chrétienté arménienne.

BAPTÊME

Le baptême est un sacrement, c'est-à-dire un signe « efficace » — au sens technique de ce terme, suivant lequel la manifestation du signe est garante de son effet —, institué par le Christ, pour transmettre aux hommes la grâce du salut. Le sacrement est administré par l'Eglise, mais son efficacité ne dépend ni de la dignité de celui qui le confère, ni de l'état d'esprit de celui qui le reçoit. Dès l'instant où le signe est correctement accompli, la grâce du sacrement agit, par la seule puissance du Christ : *ex opere operato*, dit la théologie scolastique, c'est-à-dire par l'accomplissement même du rite.

Baptismos signifie en grec action de plonger. Ce terme s'emploie d'abord pour désigner l'ablution légale des juifs, ce qui explique son passage dans le vocabulaire des chrétiens. Premier des sept sacrements, le baptême peut être compris comme la génération spirituelle qui, en introduisant le nouveau chrétien dans la communauté ecclésiale, le revêt d'une vie nouvelle. Le symbolisme de l'eau et de l'Esprit est issu de la parole du Christ à Nicodème : « En vérité, en vérité, je te le dis, à moins de naître d'eau et d'Esprit, nul ne peut entrer dans le Royaume de Dieu » (Evangile selon saint Jean 3, 5). La symbolique du baptême se fonde sur la valeur ambivalente de l'eau, source à la fois de mort et de vie. En même temps qu'elle proclame la régénération spirituelle du baptisé, l'ablution sacramentelle le libère du péché originel, principe mortifère hérité d'Adam, et de toutes ses fautes personnelles : « Si nous sommes morts au péché, comment continuer de vivre en lui ? » (Epître aux Romains 6, 2). Cette dimension purificatrice est particulièrement soulignée dans le dialogue entre Néarque et Polyeucte (II, 6, v. 693 *sq.*).

---

1. Cf. note 6, p. 40.

Les Canons du Concile de Trente (1545-1563) relatifs au baptême insistent par priorité sur la valeur purificatrice de celui-ci et sur sa nécessité pour le salut, sur
les engagements qu'il suppose de la part de celui qui le
reçoit, et sur la marque indélébile — le « caractère » —
qu'il confère aux bons comme aux mauvais chrétiens.
Ce caractère baptismal, auquel fait explicitement allusion Polyeucte (v. 45), est défini et affirmé par le
Concile en réaction à la Réforme, qui le récuse. Cependant, il s'agit d'un point de doctrine appartenant à une
tradition bien plus ancienne. Saint Augustin (354-430)
en faisait déjà usage, comparant le signe du baptême à
l'empreinte d'une monnaie, ou mieux à la marque que
portent les soldats, insigne d'honneur pour les vaillants,
et stigmate honteux pour les déserteurs. On voit par cet
exemple que le caractère du baptême est indépendant
de la grâce accordée par la vertu du sacrement.

GRÂCE

On sait que la question de la grâce a été en France,
surtout à partir des années 1640, l'objet de redoutables
controverses opposant des théologiens que la tradition
désigne par les étiquettes un peu approximatives de
« jansénistes » et de « jésuites ». C'est autour de ce
concept que s'articule, en effet, une réflexion sur le salut
de l'homme, dont l'impact outrepassera du reste largement le milieu de la théologie, ainsi que l'attestent
notamment les diverses allusions qui y sont faites dans
Polyeucte (I, 1, v. 29 *sq.* ; II, 6, v. 694, *sq.* ; IV, 3,
v. 1277 ; V, 2, v. 1556 ; V, 5, v. 1742).

En grec biblique, le mot *charis* (charme, beauté) prend
assez tôt, par référence à l'expression hébraïque dont il
est l'équivalent, le sens de bienfait, faveur. Dans un premier sens, la grâce est donc avant tout cette bienveillance de Dieu à l'endroit de l'humanité pécheresse,
manifestée dans la figure du Christ rédempteur. C'est
en son Fils ressuscité des morts que Dieu fait des
hommes ses « fils adoptifs », suivant une formule célèbre
de saint Paul (Romains 8, 15 ; Galates 4, 5 ; Ephésiens
1, 5). Cette « justification » de l'homme déchu, pour user
d'une autre expression clé de la théologie paulinienne,

suppose à la fois le pardon de ses péchés et la réactualisation en lui de la vie divine. En d'autres termes, le don de la grâce rétablit, entre Dieu et l'homme, les liens naturels compromis par le péché originel.

Toutefois, dans la théologie scolastique, la grâce sera surtout envisagée comme l'ensemble des dons que Dieu fait à l'homme en vue de son salut. On parle à cet égard de « grâce créée » (*gratia creata*), terme auquel se substituera plus tard celui de « grâce sanctifiante ». C'est sous cet aspect que le Concile de Trente (1545-1563) envisage principalement la théologie de la grâce. Par le don de la grâce, Dieu élève l'homme au-dessus de ses possibilités naturelles.

Cette opposition entre la grâce et la nature peut à son tour prendre deux significations. Dans la vision de saint Augustin, par exemple, la nature équivaut exclusivement au péché. Elle est la manifestation de cet homme « charnel » que la grâce transforme en homme « spirituel » ou régénéré. L'antagonisme qui dissocie les deux visages de l'humanité, suivant qu'elle est ou non atteinte par la grâce divine, déterminera profondément la tradition spirituelle occidentale, ainsi que l'atteste, entre bien d'autres exemples, cette *Imitation de Jésus-Christ* que Corneille a apparemment pratiquée longuement, avant de la traduire en vers.

Dans une optique plus optimiste, certains théologiens ont distingué, d'une part, l'état de nature non hypothéqué par le péché, mais par lui-même limité, et, de l'autre, la vocation ultime de l'homme qui l'appelle à une communion totale avec Dieu. Le registre de la grâce tend alors à être désigné plutôt comme le « surnaturel », c'est-à-dire comme une impulsion d'origine divine, greffée sur la (bonne) nature. Le personnage de Pauline paraît relever d'une telle conception : en même temps qu'elles portent témoignage de la vertu des païens (voir ci-dessous), ses qualités naturelles sont vues par Polyeucte (IV, 3, v. 1268) comme une pierre d'attente de sa destinée surnaturelle.

Si le texte de Corneille inclut plus d'un écho à ces questions qui occupent l'esprit de ses contemporains, il serait vain de l'imaginer intervenant dans le débat déjà très ardent dans lequel se confrontent les initiés. A cet

égard, on ne se laissera pas abuser par son recours à
certains termes, telle l'*efficace* de la grâce (v. 30) qui,
avant de soulever les passions théologiennes, appartenait
au vocabulaire reçu de chacun. Sur un plan plus général,
on admettra cependant que les accents héroïques qui
auréolent la figure de Polyeucte attestent une confiance
en l'homme que ne manqueront pas de réprouver les
tenants « jansénistes » d'un christianisme augustinien,
aux yeux desquels l'humanité n'est qu'une « masse de
perdition ».

COMMUNION DES SAINTS

Indépendamment de leur fonction sur le plan dramaturgique, les conversions successives de Pauline et de
Félix sont à envisager dans la perspective du dogme de
la communion des saints, qui leur accorde une vraisemblance, si relative soit-elle.

Cette formulation, attestée dès le Symbole des
Apôtres (une des formes du Credo, élaborée au VIe
siècle), a comme principale source scripturaire la métaphore de l'Eglise Corps du Christ développée par saint
Paul dans la Première épître aux Corinthiens (12, 12-
30). La solidarité de tous les membres du corps rat-
tachés au Christ qui en est la tête permet, entre ces
membres eux-mêmes, la communication des dons spirituels. Le *Catéchisme du Concile de Trente* (1560), préci-
sera les modalités de cette assistance mutuelle en
rappelant que, l'Eglise étant animée par l'Esprit saint,
tout ce qu'elle en a reçu est commun à chacun de ses
membres. Un tel processus d'échange s'étend de l'Eglise
triomphante qui est au ciel à l'Eglise militante qui lutte
sur la terre, en passant par l'Eglise souffrante des âmes
du purgatoire.

C'est donc manifestement en vertu de la communion
des saints que Polyeucte peut invoquer son ami
Néarque, pour qu'il l'aide à demeurer ferme face à Pauline (v. 1089-1092). En revanche, les conversions de
Pauline et de Félix relèvent d'une justification un peu
plus délicate. En effet, s'il admet que les mérites des uns
peuvent contribuer au salut des autres, le catéchisme tri-
dentin n'envisage pas de semblables compensations en

dehors de la communauté ecclésiale. Qu'en est-il dès lors de ceux que leur non-appartenance à la religion chrétienne tient à l'écart ? Une définition dogmatique plus récente étendra les bienfaits de la communion des saints à tous ceux qui, sans appartenir à l'Eglise visible, participent d'une manière ou d'une autre à la grâce divine. Mais une telle ouverture n'est pas encore de mise à l'époque de Corneille. Plutôt que d'imputer au dramaturge des vues prémonitoires sur l'évolution de la théologie, on admettra qu'il recourt, pour la conversion de Pauline et de Félix, à une variante analogique de la communion des saints [1].

Vertu des païens

Le début des années 1640 voit se développer une importante dispute sur la vertu des païens, qui met notamment aux prises le jésuite Sirmond et les tenants d'un christianisme rigoriste, dont le janséniste Antoine Arnaud. L'enjeu est celui de la place à accorder, dans l'ordre du salut, aux individus d'une qualité morale irréprochable, mais non baptisés — soit qu'ils n'aient pas eu connaissance du message chrétien, soit qu'ils aient vécu avant l'avènement du Christ. A la requête de Richelieu, le philosophe La Mothe Le Vayer publiera dans ce contexte un traité intitulé *De la vertu des païens* (1641), dans lequel il collectionne, à l'appui de sa thèse, une série de citations des Pères de l'Eglise. La seconde partie de cet ouvrage propose, de Socrate à Julien l'Apostat, une galerie des figures admirables de l'Antiquité, dont la foi est déclarée « tacite », par opposition à la foi « implicite » des juifs et à la foi « explicite » des chrétiens (*Œuvres*, Genève, Slatkine Reprints, 1970, vol. II, p. 118-219.) C'est dans le cadre de ce débat, d'actualité immédiate au moment de la création de *Polyeucte*, que s'inscrit la question, plusieurs fois évoquée dans la pièce, du salut de Pauline et de Sévère, païens vertueux (voir v. 1268-1272 et 1797).

---

1. Cf. note 4, p. 154

CHRONOLOGIE

1606. — Naissance de Pierre Corneille à Rouen où il passera l'essentiel de sa vie, tout en menant une carrière d'auteur dramatique à Paris. La famille fait partie de la bourgeoisie de province titulaire d'offices (le père est « maître des eaux et forêts »). Parmi les cinq frères et sœurs de Pierre, Thomas (1625-1709) sera lui aussi un auteur dramatique célèbre au XVIIᵉ siècle ; Marthe sera la mère de Fontenelle, écrivain important de la fin du XVIIᵉ siècle.

1628. — Après des études chez les jésuites, et l'obtention d'une licence en droit (1624), Corneille acquiert deux offices d'avocat du roi (postes de fonctionnaires de province qui assurent un revenu fixe, mais modeste), qu'il conservera jusqu'en 1650.

1629. — Corneille se lance dans la carrière d'auteur dramatique en donnant la comédie *Mélite* à la troupe du comédien Montdory. Le genre de la comédie est alors quasi inexistant sur la scène française : pour son premier essai Corneille innove complètement, en se proposant de faire une « peinture de la conversation des honnêtes gens ».

1630-1636. — *Mélite* a connu un grand succès qui a lancé la carrière de Corneille. La collaboration se poursuit avec la troupe de Montdory, qui entre-temps s'est établie à Paris sous le nom de Théâtre du Marais. Corneille donne des comédies dans la nouvelle manière qu'il a inventée (*La Veuve, La Galerie du Palais, La Suivante, La Place Royale*), une tragi-comédie (*Clitandre*), une tragédie (*Médée*) et un « étrange monstre »,

L'Illusion comique, comédie recourant au procédé du théâtre dans le théâtre.

1637. — Le Théâtre du Marais donne une tragi-comédie de Corneille, *Le Cid*, qui connaît un succès d'une ampleur inconnue jusqu'alors. La pièce ne correspond qu'imparfaitement aux nouvelles normes esthétiques (règle des trois unités, primauté de la vraisemblance et des bienséances) qui, sous l'impulsion de Richelieu, tendent à s'imposer à la création théâtrale. *Le Cid*, victime de son succès, déclenche une « querelle » littéraire qui durera deux ans et qui se clora par la prise de position de l'Académie française, récemment créée : on reconnaît les mérites particuliers à la pièce tout en relevant de graves défauts. Corneille s'inclinera et quelques années plus tard (1648) apportera des remaniements à la pièce pour en faire une tragédie.

1640. — Corneille revient à la scène avec *Horace*, une tragédie à sujet romain, plus conforme aux nouvelles normes (même si elle présente des imperfections techniques que Corneille admettra plus tard). Le succès est au rendez-vous.

1641-1645. — Fort du succès d'*Horace*, Corneille cultive le filon de la tragédie romaine (*Cinna*, *Pompée*) et acquiert ainsi le prestige immense d'un auteur qui est parvenu à ressusciter la majesté de la Rome antique. Parallèlement il donne des comédies adaptées de l'espagnol (*Le Menteur*, *La Suite du Menteur*), suivant une mode qui est en train de s'établir. Avec *Polyeucte*, puis *Théodore*, il tente de créer une tragédie chrétienne adaptée aux exigences de la scène publique. L'expérience est concluante pour *Polyeucte* (en tout cas, au goût du public mondain), mais désastreuse pour *Théodore*.

1647-1651. — Admis désormais à l'Académie française et considéré dans son pays comme le plus grand auteur dramatique de l'époque moderne, le « Sophocle français », Corneille continue de proposer une production tragique en constant renouvellement (*Héraclius*, *Nicomède*), s'essaie au genre de la tragédie à machines (*Andromède*), invente un nouveau genre de comédie, la comédie héroïque (*Don Sanche d'Aragon*). Il confie désormais ses pièces à la troupe de l'Hôtel de Bourgogne, où il a suivi Floridor, l'ancien chef de la troupe du Marais. L'échec radical de la tragédie *Pertharite*, sa vingt et unième pièce depuis *Mélite*, l'amène à considérer sa carrière d'auteur dramatique comme terminée.

1652-1659. — Retiré du théâtre, Corneille se consacre désormais à la traduction en vers français de *L'Imitation de Jésus-Christ*, traité spirituel en latin d'un mystique du XVe siècle, texte parmi les plus célèbres de la littérature chrétienne. Parallèlement, il prépare une édition définitive de ses pièces de théâtre, qu'il fera précéder de « discours » théorique et d'« examens » de chacune des pièces (publication en 1660).

1659. — Corneille revient à la scène à l'instigation de Fouquet, le surintendant des finances que Louis XIV fera emprisonner deux ans plus tard. Il donne une tragédie sur *Œdipe*. Le *come-back* est réussi.

1660-1666. — La nouvelle carrière de Corneille, qui va s'installer à Paris en 1662, connaît des fortunes diverses. A part une nouvelle incursion dans la tragédie à machines avec *La Toison d'or* (un grand succès), il cultive la veine de la tragédie à sujet historique. *Sophonisbe*, *Sertorius*, *Othon* sont bien reçues ; *Agésilas*, tragédie composée en vers libres, est un échec. Ce retour au théâtre ne l'empêche pas de traduire en vers français une autre œuvre importante de la littérature chrétienne médiévale : *Les Louanges de la Sainte Vierge* de saint Bonaventure (XIIIe siècle).

1667-1672. — Corneille poursuit sa seconde carrière, mais son prestige est désormais battu en brèche par l'avènement de Jean Racine. Dès 1667 (création d'*Andromaque*), Racine, dont les tragédies sont créées par la troupe de l'Hôtel de Bourgogne, emporte la faveur du public, et réussit de surcroît à s'imposer, auprès d'une grande partie des théoriciens et critiques, comme le nouveau génie du théâtre français. Corneille tente de faire front en continuant à se renouveler. La faiblesse du Théâtre du Marais l'amène à se tourner vers la troisième troupe de Paris, celle de Molière, qui y est établie depuis 1659. Il fait créer par eux *Attila* et *Tite et Bérénice*, sans parvenir à battre en brèche les succès de Racine. Qui pis est, sur le sujet de Bérénice, il est en confrontation directe avec son rival, et la comparaison est à son désavantage. *Pulchérie*, comédie héroïque donnée au Marais en plein déclin, confirmera, par son échec, la nouvelle hiérarchie des auteurs de tragédie.

1674. — Avec *Suréna*, créée à nouveau par l'Hôtel de Bourgogne, Corneille renoue avec un certain succès, mais sa tragédie est éclipsée par l'*Iphigénie* de Racine, créée quelques semaines plus tard. *Suréna* sera sa dernière pièce. Racine lui-même se retire du théâtre après *Phèdre* en 1677.

1684. — Corneille meurt à Paris. Il a donné une édition revue de son théâtre en 1682.

BIBLIOGRAPHIE

Editions de Polyeucte martyr

EDITION ORIGINALE

CORNEILLE Pierre, *Polyeucte martyr. Tragédie*, Paris, Sommaville et Courbé, 1643.

NOUVELLE VERSION DU TEXTE

CORNEILLE Pierre, *Le Théâtre de P. Corneille, revu et corrigé par l'auteur*, Paris, Courbé et de Luyne, 1660 (*Polyeucte martyr* figure au tome II).

DERNIÈRE ÉDITION PARUE DU VIVANT DE CORNEILLE

CORNEILLE Pierre, *Le Théâtre de P. Corneille, revu et corrigé par l'auteur*, Paris, de Luyne, 1682 (*Polyeucte martyr* figure au II, p. 207-280).

EDITIONS CRITIQUES SÉPARÉES

Blackwell, Oxford, 1949 (collection « Balckwell's French Texts », édition de R. A. Sayce).
Paris, Gallimard, 1996 (collection « Folio Théâtre », édition de P. Dandrey).

EDITION CRITIQUE COLLECTIVE

CORNEILLE Pierre, *Œuvres complètes*, édition de G. Couton, Paris, Gallimard (Bibliothèque de la Pléiade), 1980-1987 (*Polyeucte martyr* figure au tome I).

Sur Corneille

SOURCES DOCUMENTAIRES

MONGRÉDIEN Georges, *Recueil des textes et des documents relatifs à Corneille*, Paris, CNRS, 1972.

OUVRAGES D'INTERPRÉTATION GÉNÉRALE

CLARKE David, *Pierre Corneille. Poetics and Political Drama under Louis XIII*, Cambridge UP, 1992.

DOUBROVSKY Serge, *Corneille et la dialectique du héros*, Paris, Gallimard, 1963.

FORESTIER Georges, *Essai de génétique théâtrale. Corneille à l'œuvre*, Paris, Klincksieck, 1996.

FORESTIER Georges, *Corneille. Le sens d'une dramaturgie*, Paris, SEDES, 1998.

FUMAROLI Marc, *Héros et orateurs. Rhétorique et dramaturgie cornéliennes*, Genève, Droz, 1990.

KNIGHT Roy C., *Corneille's Tragedies. The Role of the Unexpected*, Cardiff, University of Wales Press, 1992.

LYONS John D., *The Tragedy of Origins. Pierre Corneille and Historical Perspective*, Stanford UP, 1996.

MAURENS Jacques, *La Tragédie sans tragique. Le néostoïcisme dans l'œuvre de Pierre Corneille*, Paris, Armand Colin, 1966.

NELSON Robert J., *Corneille. His Heroes and their World*, Philadephia, University of Pennsylvania Press, 1963.

STEGMANN André, *L'Héroïsme cornélien. Genèse et signification*, Paris, Armand Colin, 1968.

SWEETSER Marie-Odile, *La Dramaturgie de Corneille*, Genève, Droz, 1977.

SUR LA LANGUE DE CORNEILLE

GODEFROY Frédéric, *Lexique comparé de la langue de Corneille et de la langue du XVIIᵉ siècle en général*, Paris, Didier, 1862.

OUVRAGES ET ARTICLES INTÉRESSANT UN ASPECT DE *POLYEUCTE*

BORGSTEDT Thomas, « Angst, Irrtum und Reue in der Märtyrertragödie », *Daphnis* 29 (2000), p. 563-594.

GUICHEMERRE Roger, « Une situation dramatique traitée par P. Corneille et Mlle de Scudéry : l'ultime entrevue entre une femme mariée contre son gré et un amant toujours cher », in *Thèmes et genres littéraires aux XVIIe et XVIIIe siècles. Mélanges en l'honneur de J. Truchet*, Paris, PUF, 1992, p. 393-400.

LASSERRE François, *Corneille de 1638 à 1642. La crise technique d'*Horace, Cinna *et* Polyeucte, Tübingen, 1990 (Biblio 17, n° 55).

MAINGUENEAU Dominique, « Un problème cornélien : la maxime », *Etudes littéraires* 25 (1992), p. 11-22.

MOREL Jacques, « La présentation scénique du songe dans les tragédies françaises au XVIIe siècle », *Revue d'histoire littéraire de la France* (1951), repris dans *Agréables Mensonges. Essais sur le théâtre français du XVIIe siècle*, Klincksieck, 1991, p. 35-44.

PICCIOLA Liliane, « Les tragédies sacrées de Corneille sont-elles des *comedias de santos* ? », in A. Niderst, *Pierre Corneille. Actes du colloque de Rouen*, Paris, PUF, 1986, p. 465-471.

RIDDLE L., *The Genesis and Sources of P. Corneille's Tragedies from* Médée *to* Pertharite, Baltimore, The Johns Hopkins Press, 1926.

SWEETSER Marie-Odile, « Corneille et la tragédie providentielle : la conversion », *Cahiers de l'Association internationale des études françaises* 37 (1985), p. 605-614.

TRIBOULET Raymond, « Corneille et l'aspiration au martyre », *Revue d'histoire littéraire de la France* 85 (1985), p. 771-784.

Ouvrages et articles consacrés à Polyeucte martyr

Il va de soi que la plupart des monographies citées à la rubrique précédente contiennent un chapitre consacré à *Polyeucte*.

MONOGRAPHIES ET ESSAIS D'INTERPRÉTATION GÉNÉRALE

CAIRNCROSS John, « *Polyeucte*, œuvre idéologique », *Papers of French Seventeenth Century Literature* 11 (1984), p. 559-573.

« *Polyeucte*, a Flawed Masterpiece », *Papers of French Seventeenth Century Literature* 9 (1982), p. 571-590.

CALVET, Mgr, Polyeucte *de Corneille*, Paris, Mellottée, 1942.

CHAUVIRÉ R., « Doutes à l'égard de *Polyeucte* », *French Studies* 2 (1948), p. 1-34.

JULIEN EYMARD D'ANGERS, « *Polyeucte*, tragédie chrétienne », XVII*e* *siècle* 75 (1967), p. 49-69.

LEBÈGUE Raymond, « Remarques sur *Polyeucte* », *French Studies* 3 (1949), p. 212-218.

PINEAU Joseph, « La seconde conversion de Polyeucte », *Revue d'histoire littéraire de la France* 75 (1975), p. 531-554.

TOBIN Ronald, « Le sacrifice et *Polyeucte* », *Revue des sciences humaines* 38 (1973), p. 587-598.

YARROW Peter, « A Further Comment on *Polyeucte* », *French Studies* 4 (1950), p. 151-155.

SOURCES LITTÉRAIRES ET DRAMATIQUES

DROST Wolfgang, « Ein Beitrag zu den Beziehungen zwischen Corneille und Italien », in *Beiträge zur vergleichenden Literaturgeschichte. Mélange Kurt Wais*, Tübingen, Niemeyer, 1972, p. 53-88.

GARAPON Robert, « Une source espagnole de *Polyeucte* » in *Mélanges Lebègue*, Paris, Nizet, 1969, p. 201-210.

HAUVETTE Henri, « Un précurseur italien de Corneille. Girolamo Bartolommei », *Annales de l'Université de Bordeaux* 9 (1897), p. 57-77.

MAGENDIE Maurice, « Des sources inédites de *Polyeucte* », *Revue d'histoire littéraire de la France* (1932), p. 383-390.

QUESTIONS DE DATATION

PINTARD René, « Autour de *Cinna* et *Polyeucte* », *Revue d'histoire littéraire de la France* 64 (1964), p. 377-413.

RIGAL Eugène, « La date de *Polyeucte* », *Revue universitaire* 2 (1911), p. 29-36.

POLYEUCTE EXPLIQUÉ PAR LE CONTEXTE CULTUREL ET RELIGIEUX

BEAUJOUR M., « *Polyeucte* et la monarchie de droit divin », *French Review* 36 (1963), p. 443-449.

DEPRUN Jean, « Questions théologiques sur *Polyeucte* », *XVIIe siècle* 48 (1996), p. 61-66.

GEORGES André, « Le conflit de la nature et de la grâce en Polyeucte avant son baptême », *Revue d'histoire du théâtre* 49 (1997), p. 255-270.

GEORGES André, « Le sens des stances de *Polyeucte* », *XVIIe siècle* 50 (1998), p. 471-482.

GEORGES André, « Les conversions de Pauline et de Félix et l'évolution religieuse de Sévère », *Les Lettres romanes* 51 (1997), p. 35-51.

GEORGES André, « L'appel de Polyeucte et de Néarque au martyre », *Revue d'histoire littéraire de la France* 96 (1996), p. 192-211.

GEORGES André, « Le contexte historique de *Polyeucte* », *L'Information littéraire* 50, 1, p. 3-8.

HALEY M. Ph., « *Polyeucte* and the *De imitatione Christi* », *Publications of the Modern Language Association of America* 75 (1960), p. 174-183.

MARTINO Pierre, « La question de la grâce dans *Polyeucte* », *Revue d'histoire littéraire de la France* 43 (1936), p. 66-69.

SPITZER Leo, « Erhellung des *Polyeucte* durch das Alexius-Lied », *Archivium Romanicum* 16 (1932), p. 473-500.

POLYEUCTE EXPLIQUÉ PAR LES MOTIVATIONS HUMAINES
DES PERSONNAGES

BLECHMANN W., « Göttliche und menschliche Motivierung in Corneilles *Polyeucte* », *Zeitschrift für Französische Sprache und Literatur* 75 (1965), p. 109-134.

BROOKS William S., « Polyeucte's Martyrdom — "une autre explication" », *Modern Language Review* 72 (1977), p. 802-810.

HARVEY Lawrence E., « The Role of Emulation in Corneille's *Polyeucte* », *Publications of the Modern Language Association of America* 82 (1967), p. 314-324.

TURNER Alison M., « In Search of the *honnête femme* : The Character of Pauline in *Polyeucte* », *Romance Notes* 7 (1965), p. 165-170.

Littérature et religion au XVIIe siècle

L'EGLISE AU XVIIe SIÈCLE EN FRANCE

CHATELLIER Louis, *Le Catholicisme en France* (t. II : 1600-1650), Paris, SEDES, 1995.

CHATELLIER Louis, *L'Europe des dévots*, Paris, Flammarion, 1987.

LATREILLE A., *Histoire du catholicisme en France*, Paris, 1960.

LE GOFF Jacques et *alii*, *Histoire de la France religieuse*, Paris, Seuil, 1987 (t. II).

PRUNEL L., *La Renaissance catholique en France au XVIIe siècle*, Paris, 1928.

TAVENEAUX René, *Le Catholicisme dans la France classique*, Paris, SEDES, 1980.

WILLAERT L., *Après le Concile de Trente, la Restauration catholique*, Paris, 1960.

LE MARTYRE AU XVIIe SIÈCLE EN FRANCE

GREGORY Brad Stephen, *Salvation at Stake. Christian Martyrdrom in Early Modern Europe*, 1999.

LE BRUN Jacques, « Mutations de la notion de martyre au XVIIe siècle d'après les biographies spirituelles féminines », *in* Jacques Marx, *Sainteté et martyre dans les religions du Livre*, Editions de l'Université de Bruxelles, 1989, p. 77-90.

LA LITTÉRATURE RELIGIEUSE AU XVIIe SIÈCLE EN FRANCE

BREMOND Henri, *Histoire littéraire du sentiment religieux*, Paris, Bloud et Gay, 1916-1936 (11 vol.).

BUSSON Henri, *La Pensée religieuse française de Charron à Pascal*, Paris, 1933.

DEJOB, Charles *De l'influence du Concile de Trente sur la littérature*, Paris, 1884.

MANTERO Anne, *La Muse théologienne. Poésie et théologie en France de 1629 à 1680*, Berlin, Duncker & Humblot, 1995.

Textes de référence

Corneille Pierre, *L'Imitation de Jésus-Christ* (traduction de l'*Imitatio Christi*), in *Œuvres complètes*, édition de G. Couton, Paris, Gallimard (Bibliothèque de la Pléiade), 1980-1987, t. II, p. 785-1164.

Nicole Pierre, *Traité de la comédie et autres pièces d'un procès du théâtre*, Paris, Champion, 1998.

Sales François de, *Œuvres*, éd. A. Ravier, Paris, Gallimard (Bibliothèque de la Pléiade), 1969.

Théâtre et religion au XVIIe siècle

Généralités

Lioure Michel, *Le Théâtre religieux en France*, Paris, PUF (« Que sais-je ? »), 1983.

Picciola Liliane, « La littérature et le théâtre religieux », in *Histoire du christianisme* (t. IX : 1620-1700), Paris, Desclée de Brouwer, 1997, p. 1050-1066.

Reyff Simone de, *L'Eglise et le théâtre. L'exemple de la France au XVIIe siècle*, Paris, Cerf, 1998.

Urbain Charles, *L'Eglise et le théâtre*, Paris, Grasset, 1930.

Le théâtre à sujet religieux en Europe au XVIIe siècle

Dassbach Elma, *La Comedia hagiográfica del siglo de oro español*, Berne, Peter Lang, 1977.

Fumaroli Marc, « Théâtre, humanisme et contre-réforme à Rome (1597-1642) : l'œuvre de Bernardino Stefonio et son influence », *Bulletin de l'Association Guillaume Budé* 4 (1974), p. 397-412.

Heinze Hartmut, « Gattungsgeschichtlicher Rückblick : das deutsche Märtyrerdrama », in *Das deutsche Märtyrerdrama der Moderne*, Berne, Peter Lang, 1985, p. 13-21.

Parente James A., *Religious Drama and the Humanist Tradition. Christian Theater in Germany and in the Netherlands, 1500-1680*, Leiden, Brill, 1987.

Roux Lucette Elyane, *Du Logos à la scène. Ethique et esthétique : la dramaturgie dans la comédie de saints dans l'Espagne du Siècle d'Or (1580-1635)*, Presses Universitaires de Lille, 1975.

Szarota Elida Maria, *Künstler, Grübler und Rebellen. Studien zum europäischen Märtyrerdrama des 17. Jahrhunderts*, Berne, Francke, 1967.

Valentin Jean-Marie, *Les Jésuites et le théâtre*, Paris, Desjonquères, 2001.

Le théâtre à sujet religieux en France au XVIIe siècle

Krauss Werner, « Das Ende des christlichen Märtyrers in der klassischen Tragödie der Franzosen », in *Studien und Aufsätze*, Berlin, Rütten und Loening, 1959, p. 179-190.

Loukovitch Kosta, *La Tragédie religieuse classique en France*, Paris, Droz, 1937.

Pascoe Margaret, *Les Drames religieux du milieu du XVIIe siècle*, Paris, 1932.

Scott Paul A., « The Martyr-Figure as Transgressor in Seventeenth-Century French Theatre », in *Les Lieux interdits : Transgressions and French Literature*, ed. by L. Duffy and A. Tudor, Hull University Press, 1998, p. 63-89.

Scott Paul A., « Ending it all : The Death Wish of the Martyr in Seventeenth-Century French Theatre », in *Endings*, ed. by A. Amehurst and K. Astbury, Exeter, Elm Bank, 1999, p. 97-107.

Street J. E., *French Sacred Drama from Bèze to Corneille : Dramatic Forms and their Purposes on the Early Modern Theatre*, Cambridge UP 1983.

L'Eglise et le théâtre : la controverse du XVIIe siècle

Dubu Jean, *Les Eglises chrétiennes et le théâtre (1550-1850)*, Presses Universitaires de Grenoble, 1997.

Fumaroli Marc, « La querelle de la moralité du théâtre avant Nicole et Bossuet », *Revue d'histoire littéraire de la France* (1970), p. 1007-1030.

Fumaroli Marc, « La querelle de la moralité du théâtre au XVIIe siècle », *Bulletin de la société française de philosophie* (1990), p. 65-90.

Philips Henry, *The Theatre and its Critics in Seventeenth Century France*, Oxford University Press, 1980.

Thirouin Laurent, *L'Aveuglement salutaire. Le Réquisitoire contre le théâtre dans la France classique*, Paris, Champion, 1997.

Sur le théâtre en France au XVIIᵉ siècle

HISTOIRE GÉNÉRALE ET PARTICULIÈRE

DEIERKAUF-HOLSBOER Sophie-Wilma, *Le Théâtre du Marais*, Paris, Nizet, 1958.
LANCASTER Henry Carrington, *A History of French Dramatic Literature in the XVIIth Century*, Baltimore, The Johns Hopkins Press, 1929-1942.

DRAMATURGIE ET ESTHÉTIQUE THÉÂTRALE

PASQUIER Pierre, *La Mimésis dans l'esthétique théâtrale du XVIIᵉ siècle*, Paris, Klincksieck, 1995.
SCHERER Jacques, *La Dramaturgie classique en France*, Paris, Nizet, 1959.

LA TRAGÉDIE

BIET Christian, *La Tragédie*, Paris, Armand Colin, 1997.
CLÉMENT Bruno, *La Tragédie classique*, Paris, Seuil, 1999.
DELMAS Christian, *La Tragédie de l'Age classique*, Paris, Seuil, 1994.
LOUVAT Bénédicte, *La Poétique de la tragédie classique*, Paris, SEDES, 1997.
MOREL Jacques, *La Tragédie*, Paris, Armand Colin, 1964.
ROHOU Jean, *La Tragédie classique*, Paris, SEDES, 1996.

TABLE DES ILLUSTRATIONS